Nell

2585

Mary A. Evans

Nell

Zwarte Beertjes

Oorspronkelijke titel
Nell
Original English language edition TM en © 1994 by
Twentieth Century Fox Film Corporation and Polygram
Film International B.V.

This edition is published by arrangement with The Berkley
Publishing Group,
a division of The Putnam Berkley Group, Inc.
Published by argreement with Lennart Sane Agency AB.
Vertaling
Peter de Rijk

ISBN 90 449 2585 7
NUGI 342

Tweede druk, november 1995

Proloog

Neem eens het beeld van een kind in gedachten.
Ze ligt in slaaphouding in bed, maar is klaarwakker; er stroomt een tintelend gevoel van opwinding en verwachting door haar heen, dat de slaap op afstand houdt. Het is een klein meisje, niet ouder dan vier jaar, wier hartvormige gezicht verlicht wordt door de zwakke gloed van het licht op de gang.
Er klinken zachte voetstappen op de overloop en de deur gaat open. Nu valt er een strook helder licht op de slaapkamervloer.
'Kun je niet slapen?'
Ze schudt ernstig haar hoofd en lacht. Ze kennen beiden de reden voor haar rusteloosheid.
De vader van het meisje gaat met zijn volle gewicht op de dekens zitten en trekt de lakens strak, zodat ze stevig omsloten wordt door het frisse linnen. Op dat moment is haar wereld er een van absoluten; de grenzen van die wereld worden bepaald door de randen van haar bed. Haar verbeelding knaagt echter aan die begrenzingen alsof die graag de kamer uit wil, naar een ver verwijderde plek, naar een andere wereld.
'Ben je opgewonden over morgen?' vraagt hij.
'Uh-uh.' Ze knikt ernstig. 'Ik wil zo graag.'
Hij is een stevig gebouwde man van begin veertig, groot en sterk, met lange benen, forse armen en grote, eeltige handen. Toch bezit hij ook een zekere zachtaardigheid: grote, lichtgrijze ogen en een rustige, bedachtzame stem, een licht Iers accent. Hij is gekleed in een oud geruit hemd en een oude spijkerbroek die zo verbleekt is dat de kleur bijna hetzelfde is als die van zijn ogen. Het resultaat is dat hij er afgetobd en tegelijk jongensachtig uitziet.
Hij lacht zijn dochtertje toe. 'Je moet nu eerst wat slapen. Rustig gaan liggen. Oogjes dicht.'
Het meisje kruipt weer onder de dekens, begraaft haar gezicht in de kussens en doet haar ogen stijf dicht. Haar vader legt de lakens glad over haar heen en streelt dan zachtjes en liefdevol over

haar wang. Het was een gebaar dat ze sinds haar geboorte had gekend en beantwoord had, een teder aaien dat een intense mengeling van liefde en warmte uitdrukte, een eenvoudig gebaar dat zoveel betekende.
'Ik hou van je,' fluisterde hij.
'Ik hou van jou, pap.' Ze keek naar hem op, een gelukkige blik in haar ogen.
'Ik zei oogjes dicht.'
Het meisje doet haar ogen stijf dicht, de oogleden strak tegen elkaar, alsof zo de slaap een stuk sneller zal komen.
Haar vader wacht even en begint dan te praten. Zijn stem klinkt zacht en kalmerend. Het is meer een gemompelde melodie, een ritmische verzameling woorden, zacht vloeiend als water uit een bron. Voor een buitenstaander zou het refrein van de vader onzin lijken, een aaneenrijging van brabbeltaal zonder bedoeling of betekenis.
'*Sussene pokies, sussene dokies. Sussene sien...*'
Maar het effect van de tekst is het kind zo vertrouwd dat er een lachje over haar gezicht trekt als ze het hoort. Vrijwel direct wordt haar ademhaling rustiger en dieper en sluimert ze in.
'*Sussene sien, sussene bang... sussene kein... sussene wek. Sussene alo'lek...*'
Op die momenten, voordat ze in slaap valt, neemt de verbeelding van het meisje de vrije loop, opgewekt door de muziek van haar vaders woorden, omhoogkringelend als geurige rook en wegzwevend naar verre oorden.
Zonder nog iets te zeggen, blijft hij lang zitten op de rand van het bed van zijn dochter en kijkt naar haar met die nauwelijks te bevatten liefde die een vader voor zijn kind voelt. Hij verbaast zich over de alledaagse kleinigheden.
Er is een tijd geweest dat hij niets merkte en weinig meer voelde dan pijn. Dat was uiteraard vóór Nell geweest.
Hij denkt niet aan zijn eigen ademhaling of het kloppen van zijn hart, maar bij zijn kind zijn deze doodgewone functies verschijnselen die hem met ontzag vervullen: de simpele vormen van haar gelaat, een wonder; de gladheid van haar huid, een wonder.

I

De wind van het meer bevatte een vleug zomerse warmte, maar aan de talloze hoge dennebomen langs de oever is te zien dat dit een gebied is waar de winter heerst. Het ligt hoog in de bergen, dit meer, een poel die in de diepe krater van een ruim tienduizend eeuwen oude vulkaan ligt. Het is een smalle kom met oud, koud, zwart water, omringd door steile granietrotsen, vol met spleten en holen, in een onvruchtbaar, woest en verlaten gebied. Het is er afgelegen en geheimzinnig, een plek om je te verbergen.

Zelfs de kleuren hier zijn fletser, een onopvallend palet van dof groen, grijs en paars, alsof ze niet de aandacht willen vestigen op de schitterende geheimen van de natuur. De bergen zijn de gekartelde toppen van de Washington State Cascades, die donker en somber afsteken tegen de kobaltblauwe lucht, door wolken omringd en mysterieus, als een geheim in steen. De heuvels aan de voet ervan zijn niet minder ongenaakbaar; de ene grijze rotskam na de andere, steil oprijzend van de oever van het meer. De coniferen hebben een zachtgroene kleur en werpen schaduwen die zo donker zijn als de nacht. Alleen de hemel, de grote blauwe brandende zomerhemel, is helder en vitaal.

Er heerst een diepe stilte, slechts verstoord door het geluid van de wind in de bomen, het klotsende water tegen de oever van het meer en het getik van kiezelstenen op de oever. Maar onder die gedempte geluiden klinkt nog een geluid, een droevig, zacht, menselijk geluid. Het is de stem van een vrouw, die gedempt en klaaglijk klinkt.

'*Sussene dokies*,' zingt ze, '*Sussene dokies. Sussene siet... Sussene bang...*'

Het lied is een klaagzang, vol droefenis en zorg. '*Sussene kein, sussene wek...*'

Hier woont iemand. Beschut gelegen in een smalle holte op een paar honderd meter van het meer staat een kleine, stevige blokhut waarvan de planken door ouderdom en het extreme weer grijs geworden zijn. De hut wordt omgeven door een veranda van ongelijke planken. Twee ramen bieden uitzicht op het meer; aan de zijkant steekt een stenen schoorsteen omhoog. Het is een eenvoudig maar stevig bouwwerk dat op een stabiele fundering rust. Het kan door een storm getroffen worden en het kan onder hevige sneeuwval begraven raken, maar dit eenvoudige huis zal altijd standhouden. Het bouwwerk is geheel begroeid met korstmos en mos; het wordt er zelfs zo door bedekt dat het er meer op lijkt dat het uit het bos zelf is gegroeid dan dat het door mensenhanden is opgericht. Dicht bij de blokhut steekt een korte houten steiger in het meer uit.

Het geluid komt van binnen. De stem hapert en de woorden stokken, alsof de zangeres te geëmotioneerd is om verder te gaan. Dan volgt er een nieuwe poging. '*Sussene alo'lek...*' Dan zakt de stem weg in onsamenhangend gejammer. '*Ajie m-moe...*'

Het is een beklemmend, dierlijk geluid, een gejammer vol ontroostbare zielesmart en diepe angst. De gil lijkt een moment lang in de lucht te hangen en de wind en het water tot zwijgen te brengen, alsof de hele omgeving luistert, stil geworden door het doordringende verdriet.

Lange tijd heerst de stilte. Dan klinkt er ver weg een ander geluid, een geluid dat minder bij de omgeving past dan het geweeklaag. Het begint als een ver, maar indringend gezoem, een dreigend, onaangenaam geluid. Naarmate het dichterbij komt, wordt het duidelijker en luider, een diepe schorre brom. Het is het gegrom van een motor.

Plotseling komt de motorfiets uit de bosrand tevoorschijn. Door het gegier van de motor en de snelheid waarmee hij zich langs de oever voortbeweegt, lijkt de zware motorfiets een helse machine die erop gemaakt is de vredige rust en schoonheid van het landschap te verslinden. En de berijder heeft er geen weet van hoe abrupt hij de stilte ontwijdt.

Dit botte binnendringen van de lawaaiige eind-twintigste-eeuwse technologie onderstreept nog eens hoe afgelegen en eenzaam dit gebied is. Op deze overbevolkte planeet zullen niet veel van dergelijke plekken meer zijn. Niets duidt erop dat de moderne wereld hier binnengetrokken is: geen telefoonkabels, geen tv-antennes, geen geparkeerde auto's, zelfs geen eenvoudige asfaltweg.

Maar de berijder heeft van dit alles niets gemerkt. Zijn naam is Billy Fisher, een jongen uit de streek, een onbehouwen, onbezonnen figuur, die met al zijn karaktergebreken ergens tussen crimineel en straatvlegel in valt. Hij is achttien jaar en doordat hij uiteraard geen helm op heeft, wappert zijn lange haar achter hem aan. Hij draagt een vuile spijkerbroek en een mouwloos leren vest dat zijn gespierde armen en buik duidelijk doet uitkomen.

Met zijn beperkte opleiding en geringe werkervaring had Billy Fisher geen oog voor schoonheid. Hij vermaakte zich met eenvoudige geneugten: bier drinken, rotzooi trappen, vechten, biljarten, gewichtheffen en met zijn vuile motor over zwaar, woest terrein scheuren, zoals hier. Om deze bezigheden te betalen nam hij baantjes aan die op zijn weg kwamen. Het maandelijks afleveren van kruidenierswaren hier in de woestenij was er een van.

Billy bracht zijn machine vlak voor de blokhut tot stilstand in een wolk van grint en stof. Hij zette de gierende motor af, gleed van het zadel en begon de doos met spullen achter op de motor los te maken. Nu het lawaai van de motor gestopt was, leek de stilte des te dieper en het plotselinge geluid uit het huis des te luguberder.

'Ajie m-moe... m-moe...'

Billy Fisher hoorde het gejammer en verstijfde. Even dacht hij dat het een dier was – de bossen zaten vol beren en vogels – maar zelfs hij kon begrijpen dat de kreet niet zo indringend klonk als een pijnkreet. Dit was een expressief, menselijk geluid, vol verlangen en hartzeer.

Hij veegde het plotseling opgekomen zweet van zijn voorhoofd. Na moed gevat te hebben, zette hij de doos kruidenierswaren op zijn brede schouders en liep voorzichtig naar de hut. Een deur sloeg dicht en Billy sprong op. Maar het was slechts de wind die de oude hordeur deed dichtslaan.

De schrik had Fisher flink te pakken. Hij bleef stilstaan voor de gammele trap, terwijl de haren in zijn dikke nek recht overeind stonden. Er was iets niet in orde. 'Afleveren deze zooi en dan wegwezen,' mompelde hij. Hij beklom de eerste drie treden. 'Mevrouw Kellty?'

Er kwam geen antwoord uit de hut. Billy Fisher had een hekel aan zijn maandelijkse bezoekjes aan de hut. De rit erheen was wel leuk, maar die gekke oude mevrouw Kellty, de in zichzelf gekeerde vrouw die op deze afgelegen plek verkoos te wonen, boezemde hem afkeer en angst in. Er was beslist iets mis met haar. Billy wist niet precies wat, want hij bezat de afkeer van de jeugd voor ouderdom en ziekte, maar haar rechterzijde was onnatuurlijk stijf en ze sprak vreselijk binnensmonds en was moeilijk te verstaan. Het ergst van alles waren haar woest starende blauwe ogen, die hem nauwkeurig en argwanend observeerden, alsof ze vermoedde dat de boodschappenjongen weinig goeds in de zin had. Hij kreeg ook nooit een fooi.
Hij sjokte de trap op en liep met grote passen de keuken in, waar hij de bestellingen op de tafel gooide in de hoop dat het geluid zijn aanwezigheid zou aankondigen. 'Mevrouw Kellty? Hier zijn uw boodschappen.' Hij keek de keuken rond, maar hij keek zonder belangstelling. Hij had het allemaal al eerder gezien.
De kamer had een laag plafond en werd gedomineerd door een grote gietijzeren houtoven, een ouderwetse potkachel van zwart metaal, waarin dag en nacht een vuur brandde, van het begin tot het eind van het jaar. De andere apparaten waren al even verouderd. Er stond een eiken ijskast met koperen randen, een hoge provisiekast met van horren voorziene kastjes en een groot meelblik. Er was geen stromend water, dus ook geen gootsteen. In plaats daarvan stonden er een grijze metalen teil en enkele grote waterkannen. De kamer was netjes schoongemaakt, maar Billy Fisher vond de eenvoudige keuken deprimerend en armoedig.
Hij schudde verbaasd zijn hoofd; wie zou er zo simpel en met zo weinig voorzieningen willen leven?
'Gekke ouwe heks,' fluisterde hij hardop.
Er was nog steeds geen teken te bespeuren van de oude dame en het was angstwekkend stil in huis. De deur naar binnen stond op een kier. Behoedzaam tuurde Billy erlangs en probeerde in het duister te ontdekken hoe de kamer eruitzag.
Toen zijn ogen zich aan de schemering aangepast hadden, ontdekte hij een gammel ijzeren ledikant, een grote staande spiegel en een harde stoel met een lattenrug. Er leek een zwakke muffe

geur in de kamer te hangen en Billy Fisher trok afkerig zijn neus op. Het was de lucht van carbolzeep en oude kleren, een oudedameslucht.
'Bah,' zei hij.
Billy liep een paar passen de kamer in. Het lichaam van mevrouw Kellty lag op de grond. Een moment lang stond hij aan de grond genageld. Het lichaam lag daar als in een rouwkamer, alsof het keurig opgemaakt was voor de dood. Ze droeg een paar stevige, afgedragen leren hoge veterschoenen, een lange grijze japon en een versleten gewatteerd jack. Haar oude handen lagen gekruist op haar smalle borst. De huid ervan was bijna doorschijnend, maar bezaaid met levervlekken en een patroon van diepblauwe aderen.
Het doorgroefde oude gezicht van mevrouw Kellty was ingevallen, de wangen hingen slap en de dunne lippen waren vrijwel bloedeloos. Slechts heel even dacht Billy dat de ogen van de oude vrouw wijd open waren en strak naar de planken aan het plafond tuurden. Maar het waren rare ogen, zelfs nog vreemder dan de blauwe ogen met hun idiote blik die Billy zo goed kende; deze waren lichtgeel, omringd door een zuiver wit. Een moment later realiseerde hij zich dat het haar ogen helemaal niet waren, maar bloemen. Iemand had twee madeliefjes in de holle oogkassen gelegd, witte bloemblaadjes met lichtgele hartjes.
'Jezus Christus!' bracht Billy uit. Niet in staat zijn eigen ogen van de bizarre aanblik af te wenden, liep hij achteruit naar de deur, achter zich tastend om de weg te vinden.
Plotseling werd hij bevangen door een enorme angst. Hij draaide zich om en begon te rennen. Hij rende struikelend door de keuken, viel van de veranda en sprong op zijn motorfiets.
De motor sloeg bij de eerste trap aan en begon te loeien, maar Billy vergat in zijn haast om weg te komen bijna te schakelen, waardoor de machine gevaarlijk begon te zwabberen. De motor gierde terwijl hij vol gas gaf en in een wolk van stof en dennenaalden de helling op stoof. In enkele seconden was hij verdwenen. Het huilende geluid van de motor stierf weg en de stilte keerde terug op het open veld, terwijl het stof neerdaalde.
En daar kwam het gejammer, het menselijke gejammer, weer terug. *'Ajie-ie m-moe m-moe...'*

2

Calvin Hannick, een veel te dikke man met een stierenek, zat in een versleten oude leunstoel die als een struik voor zijn verwaarloosde stacaravan geplant stond. Hij had zijn bolle vuist om een blikje bier gekromd en er hing een sigaret uit zijn dikke mond. Onder zijn dikke wenkbrauwen door tuurde hij met een domme blik zwijgend in het niets, terwijl hij zoveel mogelijk probeerde niet naar zijn vrouw te luisteren. Binnen stond de tv keihard aan zonder dat iemand erop lette.

Lorene Hannick, die al even corpulent was, zat in haar eigen leunstoel. Ze had geen bier of sigaret, maar wel liep er een akelig bloedspoor langs haar dikke wangen. Jerome Lovell – dokter Jerome Lovell – stond over haar heen gebogen voorzichtig de wond schoon te maken. Het was geen diepe wond, maar een hoofdwond bloedde nu eenmaal flink en hoewel er geen hechtingen nodig waren zou Lorene een week of twee met een heel vervelende blauwe plek rondlopen.

Dit was niet de eerste keer dat hij hierheen geroepen was om een Hannick op te kalefateren; Lorene kon er dikwijls zelf ook wat van en had haar echtgenoot meer dan eens een ram gegeven met een zwaar voorwerp dat toevallig in de buurt lag. Jerry Lovell werd het een beetje zat dit voortdurend kibbelende echtpaar te verzorgen.

'Lorene, Calvin,' zei hij vermoeid, 'Dit gedoe moet ophouden. Een van jullie zal de ander nog doodmaken.'

'Zichzelf doodmaken, daar lijkt het meer op,' protesteerde Lorene. 'Dat zeg ik steeds tegen hem.'

'Houd je kop,' was de reactie van haar echtgenoot.

'Ik zeg toch steeds tegen hem dat hij te veel rookt,' zei Lorene. Haar stem klonk merkwaardig, zowel raspend als eentonig. Jerry Lovell vroeg zich af hoe lang hij die zou kunnen verdragen. 'Ik zeg tegen hem: je rookt te veel en op een dag dan ga je d'r nog aan dood. Dat is alles wat ik gezegd heb.'

'En ik zeg: wie zegt dat?' zei Calvin.

'De minister van Volksgezondheid.'
Calvin zoog de laatste rook uit zijn sigaret en schoot de peuk de weg op. 'Wie is in jezusnaam de minister van Volksgezondheid?'
'Ik zeg: de minister van Volksgezondheid is niet zo'n stomme klootzak als jij. En toen sloeg hij mij.'
Lovell drukte een verband op de wond en ging rechtop staan. 'Waar heb je haar mee geslagen, Cal?'
Calvin Hannick haalde zijn schouders op. 'Foto.'
'Trouwfoto.'
Lovell wierp een blik in de caravan. Voor de blèrende televisie lag een foto en het gore hoogpolig tapijt lag bezaaid met glasscherven. Het was een foto van Lorene en Calvin, een kwart eeuw jonger en half zo omvangrijk als nu.
Lovell zuchtte. 'Je moet eens wat kalmeren, Cal. Daarmee had je haar oog wel uit kunnen slaan.'
'Zeg maar dat ze verdomme op d'r woorden moet letten,' zei Hannick. Hij haalde een verkreukeld pakje mentholsigaretten uit de borstzak van zijn overhemd en maakte aanstalten er weer een op te steken.
'En ze heeft gelijk, je moet oppassen met roken.' Je hoefde geen dokter te zijn om te zien dat een hartinfarct voor Calvin Hannick op de loer lag.
'Ja, ja...' gromde hij. 'Rot toch op. Ik heb mijn hele leven gerookt. Geen enkel probleem tot nu toe.'
Plotseling kwam Lorene Hannick overeind en tuurde de weg af. 'Wat doet *hij* hier in godsnaam? Ik heb nooit om een sheriff gevraagd.'
Lovell keek over zijn schouder. De blauwe politiewagen van de sheriff stopte voor de caravan.
Lorene was een en al verontwaardiging. 'Je laat hem met rust, sheriff Petersen,' krijste ze. 'Hij heeft niks gedaan.' Ze raakte de wond aan de zijkant van haar gezicht even aan. 'Nou, in elk geval niet veel.'
Sheriff Todd Petersen hief zijn handen als vredesgebaar, alsof hij met zijn blote handen de herrie tot bedaren wilde brengen. De politieman was een vermoeid kijkende man van in de vijftig, die het ook zat leek te zijn met mensen als Calvin en Lorene

Hannick om te gaan. Maar er waren andere, persoonlijker demonen waar hij tegen moest strijden, gevechten die heviger waren dan die waartoe de Hannicks in staat waren.
'Rustig maar, Lorene,' zei Petersen. 'Kalmeer maar. Ik ben hier niet voor Calvin gekomen. Ik ben hier voor de dokter.'
Lorene Hannick bedaarde en liet zich weer in de leunstoel zakken. 'O,' zei ze, 'sorry hoor.'
'Geeft niet,' zei sheriff Petersen. 'Kom mee, dokter.'
Richfield in de staat Washington was een plaatsje hoog in het Wenatchee-gedeelte van de Cascade Mountains, tussen de rivieren de Cedar en de Snoqualmie. De plaatsnamen in het gebied – Startup, Goldbar, Index en ook Richfield zelf – wezen erop dat dit een gebied van goudmijnen was geweest, dat eerst gekoloniseerd was door goudzoekers en later geëxploiteerd werd door bosbouwbedrijven. Maar met de beëindiging van die voor het milieu schadelijke activiteiten was het stadje in verval geraakt. Nu profiteerde Richfield in het seizoen van wat toerisme, maar het meeste werk was te vinden in de ski-oorden Stevens Pass en Alpental, waar Richfielders vaste, zij het matig betaalde banen vonden als kamermeisje of onderhoudsmonteur.
Omdat er niet veel mensen woonden en er weinig misdaad was, had Todd Petersen weinig te doen, behalve het sussen van huiselijke ruzies, die van tijd tot tijd voorkwamen tussen inwoners van Richfield zoals Calvin en Lorene Hannick, het af en toe beëindigen van vechtpartijen in het enige café dat het stadje rijk was en het uitvoeren van snelheidscontroles op County Road 971. Hij kon zich niet herinneren wanneer hij voor het laatst zijn revolver uit de holster had gehaald.
Petersen reed de stad uit over een weg die door dicht dennenbos omzoomd was. De talloze bomen filterden het felle licht en door de schaduwen die ze wierpen reed de auto door talloze lichte en donkere banen, die een soort natuurlijke stroboscoop vormden.
'Billy Fisher heeft haar gevonden,' zei Petersen. 'Hij levert er boodschappen af.'
Alle inwoners van Richfield wisten wel iets over de merkwaardige oude vrouw die bij het meer woonde, maar slechts weinigen hadden haar ooit gezien.

'De vrouw in het grijs?' vroeg Lovell. 'Is het waar dat ze altijd grijze kleren droeg?'
Petersen knikte. 'Ja. De kluizenaarster. Het was een vreemde oude vogel. Praatte nogal raar.' Petersen vertrok de linkerkant van zijn gezicht en hield zijn lippen strak tegen elkaar. 'Zoiets als durr jurr mmm... Zo ongeveer.'
'Waarschijnlijk een verlamming door een beroerte. Slechts één zijde van haar gezicht functioneerde. Zenuwbeschadiging. Dan probeer je met één kant van je mond te praten. Het klinkt alsof het haar vrij goed afging.'
Petersen zuchtte. 'Ik denk het wel. Ze leefde op zichzelf. Dat kan ik iemand niet kwalijk nemen.' Hij verliet de grote weg en reed een oud bospad op, een zanderige onverharde weg die sterk overgroeid was omdat niemand er ooit op reed.
'Ben je hier ooit geweest?'
Jerry Lovell schudde zijn hoofd. 'Nooit. Ik wist niet dat er zo ver weg mensen woonden.'
'Is ook niet zo. Alleen Ma Kellty.'
De auto hobbelde over het pad, gleed de helling naar het meer af en reed in een bocht naar de oever terwijl de wielen in het fijne grint slipten.
'Help me er de volgende keer aan herinneren dat ik met de jeep ga.'
Lovell lette er niet op. Het meer, de heuvels, het bos... Het landschap was zo betoverend mooi dat hij er slechts in stille bewondering naar kon kijken. Hij kwam hier niet vandaan, maar woonde pas een paar jaar in Richfield en het overweldigende landschap wist hem steeds weer te imponeren. Als hij hier was, midden in de woeste natuur, leken de steden en het stadsleven ver weg en vreemd, een onnatuurlijke manier van leven.
De politieauto stopte op het vlakke open terrein voor het huis van Kellty. Petersen stapte uit en liep met grote passen naar de blokhut. Opeens hield hij stil en keek achterom. Dokter Lovell stond naar het open terrein, het huis, het meer en de bergen erachter te kijken.
Petersen lachte en schudde zijn hoofd. 'Wil je soms foto's nemen?'
'Het is prachtig,' zei Lovell op gedragen toon. 'Vind jij het ook niet schitterend?'

'Te veel bomen.' Anders dan Lovell was Petersen in dit gebied opgegroeid en had hij zijn hele leven hier doorgebracht; het maakte allang geen indruk meer op hem. Hij had geen behoefte om uit zijn geboorteplaats te vertrekken, maar anders dan mensen van buiten kreeg Petersen niet meteen vochtige ogen als hij een denneboom of kerkuil zag.
'Wat is er met je?' vroeg Lovell. 'Hou je niet van bomen?'
Petersen keek rond. 'Niet zoveel als hier,' zei hij met een zuur gezicht. 'Ik voel me te veel in de minderheid.' Hij begon weer naar het huis te lopen. 'Kom, we moeten dit klaren.'
Jerry Lovell was al even gefascineerd door het interieur van het huis van Kellty. Hij bleef in de keuken staan alsof hij in een museum was, geboeid door elk eenvoudig detail uit het leven van de oude vrouw. Bij Billy Fisher had de primitieve levenswijze van mevrouw Kellty slechts verachting of op zijn hoogst een soort half gemeend medelijden opgewekt; voor Lovell was het iets om te bewonderen en te respecteren vanwege de onvoorwaardelijke overgave aan de eenvoud. Zelfs die paar zaken die uit de moderne wereld kwamen, haar boodschappen, waren uit vroeger tijden. Ze stonden in een rij op de versleten keukentafel: een doos havermout, gedroogde bonen, meel, bakpoeder, een pak melk. De doos waarin ze gezeten hadden was onder de tafel gezet, alsof die later nog gebruikt zou worden.
Lovell raakte de petroleumlamp aan die aan het plafond hing en liet hem heen en weer zwaaien. 'Geen elektriciteit. Geen telefoon. Geen stromend water.'
'Nee,' zei Petersen. 'Idioot, hè?'
'Vind je?'
'Ik probeer het normaal te vinden.' Hij liep door de keuken de slaapkamer in en knielde bij het lichaam neer. Billy Fisher had in zijn verbrokkelde, door angst beheerste verslag van de vondst van het lichaam iets gezegd over bloemen, maar daarvan was nu niets te zien. Voor Petersen was het duidelijk dat de dood van de oude dame even eenvoudig geweest was als haar leven.
'Hoe vind je zoiets?' zei hij, langzaam zijn hoofd schuddend. 'Is gaan liggen, heeft haar handen gevouwen en is gestorven.' Hij keek over zijn schouder naar Lovell. 'Heb je ooit zoiets gezien, dokter?'

Lovell had uiteraard veel ervaring met de dood en hoewel hij er nooit geheel aan kon wennen, probeerde hij zichzelf te dwingen er zonder emoties, met het kritische oog van een deskundige, naar te kijken. De meeste doden waren een vernedering, een laatste belediging toegebracht aan een lichaam dat tijdens het leven gekweld was. Mensen stierven vol martelende pijn, verteerd door ziekte, getroffen door lichamelijke zwakte.
Artsen konden slechts de dood constateren, gewicht en waarde toekennen aan elk soort overlijden, maar niemand, en zeker Lovell niet, kon ontkomen aan het feit dat de strijd tegen de dood nooit gewonnen kon worden, niet op de lange termijn. Hij was getuige geweest van de gewelddadige dood, van de plotselinge dood, van de dood vol langdurige pijn. Maar de goede dood, de gelukkige dood, de vreugdevolle dood waarover de theologen schreven, was naar Lovell's ervaringen grotendeels een mythe. En toch, bij het onderzoeken van het stoffelijke overschot van mevrouw Kellty moest hij concluderen dat als er al zoiets als een vredige dood bestond, dit er een moest zijn.
Hij kon de doodsoorzaak niet vaststellen op grond van zijn vluchtig onderzoek van Kellty's ogen, hart en longen, maar hij kon wel een gefundeerde gissing maken. Het was waarschijnlijk de eenvoud van het leven van de oude dame die haar dood veroorzaakt had. Jaren van hard werken, zoals houthakken en water halen uit het meer, onder allerlei weersomstandigheden, hadden uiteindelijk hun tol geëist. Mevrouw Kellty had het waarschijnlijk altijd koud in de winter en was waarschijnlijk ook ondervoed in tijden dat Billy Fisher niet door sneeuw en ijs heen kon komen met haar boodschappen. Daarbij had ze waarschijnlijk in geen twintig of mogelijk dertig jaar medische zorg genoten, een gebrek aan aandacht dat verergerd was door de op de lange termijn slopende gevolgen van een beroerte. Het frêle lichaam van de oude vrouw had het gewoon niet meer aangekund.
Lovell schatte haar ergens halverwege de zestig, hoewel ze veel ouder leek. Een autopsie zou aantonen dat dit een ouderwetse dood was, niet gecompliceerd door moderne ziekten als kanker en hartafwijkingen, door de spanningen van het moderne leven. Dit was een negentiende-eeuwse dood, een sterfgeval veroor-

zaakt door de uitputting die pioniersvrouwen trof. Mevrouw Kellty had zichzelf doodgewerkt.
'Enig idee hoe lang ze hier gelegen heeft?' De stem van Petersen bracht Lovell weer terug in het heden.
'Niet lang,' zei hij. 'Het is zo warm dat we het zouden kunnen zien als ze langer dan een dag dood was geweest.'
'Is er iets wat voor mij van belang kan zijn? Tekenen van misdaad, zelfmoord of iets dergelijks?'
Lovell schudde zijn hoofd. 'Niet dat ik kan zien. Zoals je zei... Ze ging gewoon liggen en stierf.' Hij pauzeerde even, alsof hij toch over iets aarzelde. Hij liet zijn ogen nog eens over het lichaam gaan, alsof hij nog een laatste controle wilde uitvoeren.
'Wat?' vroeg Petersen. 'Wat is er?'
Dokter Lovell haalde zijn schouders op en schudde zijn hoofd. 'Niet echt iets, maar het is wel een beetje vreemd dat haar handen niet bewogen hebben tijdens haar laatste seconden. Er bestaat namelijk echt zoiets als een doodsstrijd, weet je.'
'Dat wist ik niet.'
'Toch is het zo. En er is ook een doodsgerochel.'
'Dat wist ik. Maar er is binnen een straal van vijftien kilometer niemand geweest die het gehoord zou hebben.'
Lovell keek de lege kamer rond. 'Woonde ze hier helemaal alleen? Zou niemand het lichaam zo neergelegd kunnen hebben?'
Petersen schudde zijn hoofd. 'Ze woonde hier moederziel alleen. Niemand in de verre omtrek. Zo leven kluizenaars, Lovell. Ze leven alleen, ze sterven alleen.'

3

Het duurde een tijd voordat Todd Petersen de streekambulance op de radio in zijn politieauto te pakken kreeg en nog langer voordat de lompe auto gearriveerd was vanuit Monroe, de dichtstbijzijnde grote plaats en de hoofdstad van het district. Lovell vond het niet erg te wachten; hij had er plezier in wat over het terrein te lopen en de weinige sporen van menselijke aanwezigheid te bekijken: een bijl die vastzat in een boomstronk die als hakblok gebruikt was, een roestig petroleumvat, een half in het meer verdwenen roeiboot. Hij keek met de belangstelling en de intensiteit van een antropoloog die een afgelegen levend, mysterieus volk bestudeerde. Nadat hij zijn korte ronde over het terrein voltooid had, ging hij op de rand van de steiger zitten om van het uitzicht te genieten, waarbij hij van tijd tot tijd zijn ogen sloot en zijn gezicht naar de zomerzon draaide.

Nu hij daar zo zat, terwijl de wind door zijn bruine haar streek en zijn lange benen boven het koele blauwe water bungelden, leek Lovell een man met weinig zorgen. Er was weinig over hem bekend in Richfield, behalve dan dat hij een arts was die in het Noordoosten zijn opleiding had gehad en die pas enkele jaren geleden naar de gemeente was gekomen om zich aan te sluiten bij de kleine praktijk van zijn partner, Amy Blanchard, een vrouw die lang de enige dokter in de plaats was geweest. De plaatselijke bevolking nam aan dat ook hij een van degenen was die het grote-stadsleven ontvlucht waren en ervoor kozen het geld en het prestige – of de actie – van een stedelijke carrière te laten schieten in ruil voor het vredige leventje in de provincie. Ze hadden het slechts ten dele bij het rechte eind.

Tegen de tijd dat de ambulance het zware terrein had weten te trotseren en het lichaam was weggehaald, beëindigde Todd Petersen zijn laatste controle van het terrein. Het was nu laat in de middag en de kleine kamers van de blokhut waren in een vaalgele gloed gedompeld, zonlicht dat gefilterd werd door de dunne vitrage die aan de vensters bevestigd was. Voordat hij de slaapkamer uit liep, bleef hij midden in de kamer stilstaan, alsof hij probeerde iets gewaar te worden dat hij niet kon zien. De hele dag door had hij een merkwaardig gevoel gehad, een vreemde sensatie dat dit stille huis, hoewel het schaars gemeubileerd was en er geen mensen waren, toch bewoond leek, alsof ergens in het huis nog iemand woonde.

Petersen schudde zijn hoofd, geamuseerd door zijn eigen lichtgelovigheid. 'Maf,' zei hij en liep naar buiten om met het papierwerk te beginnen, het administratieve proces dat het droevige maar weinig boeiende leven van een dwaze oude vrouw af zou sluiten. Toen hij uit het huis tevoorschijn kwam, kwam Lovell de steiger af en liep naar hem toe.

'Wie krijgt dit huis?'

'Hoezo? Wil jij het?' Er trok een glimlach over Todd Petersens gezicht. 'Ik zag je daar zitten. Je zat vast te denken hoe het zou zijn om hier te wonen. In harmonie met de natuur, hè?'

'Misschien.'

'Van mij mag je,' zei Petersen, naar de politieauto lopend. 'Maar mij is het te stil. Ik houd van de felle lichten van het centrum van Richfield.'

Lovell lachte. 'Weet ik. Ze kunnen heel verleidelijk zijn.'

'Zeker,' zei Petersen langzaam. Hij ging achter het stuur van de auto zitten en trok zijn logboek van achter de zonneklep tevoorschijn. Hij klikte op zijn balpen en begon aantekeningen te maken. Lovell kneep zijn ogen dicht tegen de ondergaande zon en keek achterom naar het huis. Hij had hetzelfde gevoel als de sheriff had gehad... Iets in het huis, iets had hem dwars gezeten, een half bewuste verdenking dat er hier iets niet klopte.

'Billy Fisher heeft haar gevonden toen hij vanochtend de boodschappen afleverde?'

Petersen keek niet op van zijn aantekeningen. 'Dat klopt.'

'De boodschappen waren uitgepakt.'

Deze keer keek Petersen wèl op. 'Wat zeg je?'

'Ik ben zo terug.'

Dat was het natuurlijk. Lovell kende Billy Fisher – hij had hem gehecht nadat hij een café-gevecht had verloren – en hij wist dat de jongen niet de moeite zou hebben genomen zijn pakket uit te pakken. Lovell vermoedde dat hulp aan anderen, zelfs als het

om een oude eenzame vrouw ging, niet hoog stond op de lijst van Billy's persoonlijke prioriteiten.
Een van de melkpakken was opengemaakt. Lovell pakte het op en woog het in zijn hand, ondertussen de vloeistof schuddend om te zien hoeveel er weg was. Niet meer dan een mondvol. Hij rook eraan. De melk was nog steeds vers en koud. Er zaten nog wat condensatiedruppels op het plastic.
Hij opende de deur naar de slaapkamer en stapte de gouden lichtstraal binnen waarin de kamer baadde. Alles was in de staat zoals ze het ontdekt hadden. Het ijzeren ledikant, de hoge spiegel, de harde stoel, het goudgeel oplichtende gordijn...
Er was een patroon van richels en holtes in de vloerplanken gesleten en hij knielde om de gladde contouren te voelen.
Opeens klonk er een geluid van boven. Het was een heel zacht geluid, een zwak gepiep, de onwillekeurige angstkreet die in de keel smoort. Een moment lang dacht hij dat het een muis of vleermuis geweest moest zijn. Maar in de spiegel die een paar graden naar het plafond gericht was, zag hij een heel geringe beweging, iets zwaks en vaags, als een duistere schaduw die over de muren bewoog. Terwijl hij de spiegel onderzocht, begonnen de schaduwen in de dakspanten vorm te krijgen. Langzaam liepen de verschillende donkere vormen in elkaar over. Daarboven bevond zich iets.
Lovell hief langzaam zijn hoofd op en keek naar boven. Er was iets, een wezen, een dier dat tegen de dakbalk aan zat; angst drukte het plat, drukte het lichaam in de donkere hoek waar de muur en de balk met elkaar verbonden waren. Eerst leek het lichaam door de combinatie van het vage licht en donkere schaduwen in de vormen van de kamer over te gaan, maar hoe langer Lovell tuurde, des te duidelijker werd de gedaante.
Een meisje, of misschien een jonge vrouw, het was moeilijk te zeggen. Haar hoofd was in een scherpe, vreemde hoek naar achteren gedraaid. Enorme ogen, grijsblauw in dat licht, de ogen van een nachtdier, staarden hem zonder te knipperen aan. Haar haar was lichtblond en kort geknipt. Haar gezicht was wit en bloedeloos; de huid die strak over haar magere, hoekige ledematen zat gespannen, was bijna doorschijnend. Ze was slechts gekleed in een vaal dun hemd. Ze was blootsvoets.

Lovell kon de angst in de kamer voelen, zoals bij de plotselinge, onverwachte confrontatie tussen mens en dier. Hij bleef doodstil staan, te verrast om te reageren en bang dat plotselinge bewegingen haar aan het schrikken zouden maken.

Terwijl hij zijn ogen strak op de hare richtte, sprak hij zachtjes en langzaam: 'Het is in orde. Ik zal je geen pijn doen.'

Er kwam geen reactie van boven. De enorme ogen bleven staren zonder te knipperen, haar lichaam was nog steeds opgerold, gespannen als een metalen veerblad; ze maakte zich zo klein mogelijk. Voorzichtig, weloverwogen stak hij zijn hand op naar haar, met de palm open, alsof hij haar van haar precaire hoge positie naar beneden wilde helpen.

Dit bracht een reactie teweeg. Er ontsnapte een waarschuwend gesis uit haar samengeknepen lippen, dat luider werd toen Lovell op haar toe kwam. Het waarschuwende geluid veranderde van toon en intensiteit naarmate hij dichterbij kwam, werd harder en kwam steeds meer uit haar keel tot het een diep honds gegrom was.

'Het is in orde... in orde...' Lovell sprak haar toe alsof hij een angstig kind geruststelde. 'Rustig maar...'

Toen Lovell rechtop stond, barstte de vrouw in jankende angstkreten uit, verwrongen gillen die de kamer vulden en Lovell deden terugdeinzen. Gillend stak ze haar handen als klauwen uit en ze sloeg en trok aan zichzelf. Het was een angstwekkend en deerniswekkend gezicht; ze was zo bevangen door angst dat ze haar eigen hart leek te willen uitrukken.

'Jezus!' Hij stapte op haar toe, waarop het gegil nog twee keer zo hard werd. Ze sloeg met haar handen op haar hoofd en ranselde haar wangen en slapen alsof ze probeerde zichzelf bewusteloos te slaan.

'Hou op!'

Het antwoord was een vreselijke, bloedstollende brul, een gekwelde, folterende gil, die zijn hele lichaam deed sidderen. Lovell liep struikelend de kamer uit, terug de keuken in, net op het moment dat Petersen door de voordeur naar binnen stoof.

'Wat is hier verdomme aan de hand?' Hij liep met grote passen de slaapkamer in, waarop het gegil weer toenam.

Lovell trok hem de slaapkamer uit. 'Laat haar met rust,' beval hij. 'Ze is bang.'

'Zíj is bang? Goddomme!'
'Eruit! Eruit!'
De twee mannen liepen struikelend naar de veranda, terwijl het gegil achter hen onverminderd doorging. Daarna ging het over in een zacht gejank, alsof ze, nadat ze haar aanvallers had afgeslagen, hen waarschuwde niet terug te keren.
Petersen en Lovell keken elkaar verbijsterd aan.
'Goeie god!' zei Petersen, hijgend alsof hij buiten adem was. 'Wat was dat in vredesnaam?'
'Heb je ooit gehoord dat er hier nog iemand woonde?'
De politieman schudde resoluut zijn hoofd. 'Nooit. Wie is zij? Wat moeten we doen?'
'Goed,' zei Lovell. 'Laten we dit stap voor stap doen.' Hij draaide zich naar het huis toe. 'Blijf hier.'
'Wat ga je doen?'
'Met haar praten,' riep Lovell over zijn schouder. 'Als dat kan.'
Lovell kroop het huis in en bleef aandachtig luisterend bij de slaapkamerdeur staan. Het gegil was opgehouden, maar hij kon merken dat de vrouw nog steeds opgewonden was. Hij kon de oppervlakkige, snelle ademhaling horen, afgewisseld door het geluid van snelle, trippelende voetstappen. Het klonk alsof ze de kamer rond rende langs de muren, op haar hoede voor de gehate indringers.
Opeens sprak ze... Of tenminste, ze maakte gebruik van haar vermogen om uiting te geven aan haar ontsteltenis, waarbij ze haar gegil veranderde in iets dat op spraak leek en de vorm van taal had. Maar het was geen taal die Lovell ooit eerder gehoord had.
'*Doenie Nell auw, hee', liefi'e, liefi'e hee', doenie Nell auw.*'
Haar stem klonk zacht, maar de woorden waren gehaast en gedreven, alsof ze zichzelf aanspoorde vastbesloten te zijn, de moed te vatten om zichzelf tegen de indringers te beschermen. Door de toon kreeg Lovell de indruk dat haar woorden een mengeling van aanmoedigingen en agressie waren. '*Smi' boo'dene, hai! Hai! Smi' boo'dene, zzzslit! Zzzzslit!*'
Het *hai! hai!* en *zzzslit!* werden met een verbazende felheid geuit, alsof het vreselijke bedreigingen waren. Daarna begon de vrouw weer rusteloos door de kamer te lopen. Lovell kon slechts gissen

hoe opgewonden ze was. De dood van mevrouw Kellty, gevolgd door het plotselinge, angstwekkende binnendringen van twee vreemdelingen in het huis moest haar vervuld hebben met pure verschrikking. Lovell had te doen met deze arme, panische vrouw en hij voelde een enorme behoefte haar te kalmeren, haar te laten begrijpen dat ze veilig was.
Hij hield zijn mond dicht bij de deur en begon zachtjes te praten. 'Alsjeblieft,' smeekte hij. 'Alsjeblieft, wees niet bang.'
'*Hai!*' De voetstappen stopten plotseling. Al luisterend kon hij zich voorstellen hoe ze als een bang gemaakte kat opsprong en ineenkroop, terwijl haar razende, door waanzin beheerste ademhaling overging in angstige hoge kreten.
'Goed,' zei hij. 'Goed. Ik ga al. Het is in orde.' Hij liep achteruit bij de deur vandaan, maar ging het huis niet uit. Hij ging op zijn hurken zitten en luisterde naar de verwarde, verontrustende geluiden aan de andere kant van de deur. Een moment later begon de vrouw weer te spreken met een van angst vervulde stem.
'Doenie Nell auw, hee', liefi'e liefi'e hee', liefi'e, liefi'e...'
Jerry Lovell wreef afwezig over zijn kin terwijl hij luisterde naar de reeks ongerust klinkende woorden die in de kamer ernaast klonken. Het was een taal, een taal die *zij* verstond en gebruikte om zelfvertrouwen te krijgen. Het was een ondersteuningstechniek, een belangrijk deel van haar persoonlijkheid. Lovell schudde zijn hoofd en vervloekte zichzelf in stilte omdat hij niet beter had opgelet bij de lessen klinische en gedragspsychologie die hij tijdens zijn studie geneeskunde had moeten volgen.
Hij keek even door de keuken heen naar de voordeur van het huis. Vanuit zijn lage positie vlak boven de vloer zag Lovell iets dat noch hij noch Petersen eerder die dag had opgemerkt. Er bevond zich een plank onder de keukentafel, een stuk achter de rand, op een onafgewerkt verborgen gedeelte. Er lag een map op de plank, die vol zat met vergeelde stukken papier en een zwart, gebonden boek dat er beduimeld uitzag. Lovell wist meteen dat het boek een bijbel was.
De vrouw ademde nu wat rustiger en haar angstige woorden hadden plaatsgemaakt voor een nieuw geluid, een zacht neuriën, een sussend gemompel dat beperkt in toonhoogte varieerde; het steeg eerst in toonhoogte en even later daalde het weer.

Lovell kon de betekenis niet vatten. Was het een sussende melodie, bedoeld om haar te kalmeren, of een emotionele klaagzang, in treurnis gezongen? Het geluid leek niet op iets wat hij ooit eerder had gehoord; het was tegelijk obsederend en geruststellend.

Lovell pakte de papieren die onder de keukentafel verborgen lagen. De map bevatte een stapel officiële papieren: overdrachtsakten van percelen grond, brieven van banken, uitvoerige correspondentie van een advocaat in Tacoma. Alle brieven en documenten waren gericht aan juffrouw Violet Kellty en dateerden uit 1960. Lovell bladerde ze snel door en kwam te weten dat wijlen juffrouw Kellty drie stukken grond aan het meer bezat, vrij van rechten, en dat ze een lijfrente had, een som geld die dertig jaar geleden voldoende moest zijn geweest, maar die inmiddels aanzienlijk in waarde moest zijn afgenomen. Deze schat aan informatie verklaarde veel, maar Lovell kon er geen aanwijzing in vinden over de identiteit van de vrouw in de belendende kamer.

Het neuriën klonk nu heviger en was vol van een droefheid die recht uit het hart leek te komen. Het ritmische gezang steeg en daalde in toon met de regelmaat van de ademhaling, vulde de lucht en stierf weg. Keer op keer zwol het aan om even zovele keren weer weg te sterven.

De bijbel leverde slechts één document op, maar het was even interessant als alle andere bij elkaar. Het was geschreven in een groot, onregelmatig handschrift, het soort handschrift dat je vaak zag bij slachtoffers van een beroerte, die gedwongen waren met de verkeerde hand te schrijven.

De Heer heeft u hierheen geleid
vreemdling. Waak over mijn Nell
Goed kind. De
Heer zorgt u.

Lovell las de woorden een tiental keren over. Ze verbaasden hem, alsof hij een boodschap in een fles had gevonden, een oproep van een reeds lang zoekgeraakt zeeman op een verlaten eiland. Hij liet zijn hoofd tegen de deur van de kamer rusten en luisterde naar het gonzende neuriën. Dit was Nell.

4

'Ze is haar dochter,' zei Lovell.
Petersen keek verbaasd. 'Van wie? Ma Kellty? Ik heb nooit gehoord dat ze een dochter had.'
Lovell legde de map met officiële papieren, de bijbel en het treurige document op de kofferbak van de politieauto. 'Nell,' zei hij. 'Haar naam is Nell.'
Petersen spreidde de papieren uit en begon aandachtig te lezen. Hij floot en schudde zijn hoofd. 'Zie je dit? Die maffe oude vrouw bezat de helft van dit bos.'
'En nu heeft Nell het.'
Petersen trok een valse grijns. 'Tja, tenzij zij het wil verkopen, zul je hier denk ik toch niet naar toe verhuizen.'
'Ik denk het niet,' zei Lovell glimlachend. 'Maar ik snap het niet. Wat heeft dit te betekenen? De eerste die haar vindt moet voor haar zorgen?'
'Dat betekent dat jij dat bent, Jerry.'
'O, natuurlijk. Precies wat ik nodig had...'
Petersen hield mevrouw Kellty's briefje onder Lovell's neus. 'De Heer heeft je hierheen geleid,' zei hij. 'Nu moet je eraan geloven.'
'Jij hebt me hierheen geleid.'
'Wil je dat de Heer voor je zorgt of niet?' Petersen kon zijn lachen niet inhouden.
'Zeg,' protesteerde Lovell, 'als ik mijn leven met een idiote vrouw wilde delen, dan was ik nog getrouwd en woonde ik in Philadelphia.'
Petersen schudde langzaam zijn hoofd, alsof hij niet helemaal kon geloven dat dit allemaal echt gebeurde. 'Heb je iets uit haar gekregen? Ik heb een hoop geluiden gehoord, maar ik kon er geen wijs uit. Gebrabbel, lijkt me.'
Lovell schudde zijn hoofd. 'Nee. Ze praatte goed. Het probleem is dat ze niets in ònze taal zei.'
'Maar wat spreekt ze dan?'

'Geen taal die ik ooit gehoord heb.'
Petersen zuchtte diep. 'Weet je, vandaag begon als een doodnormale dinsdag. Eerst knijpt Ma Kellty ertussen uit en nu deze... deze... Tja, ik weet bij god niet hoe ik het noemen moet.'
'Nell,' verbeterde Lovell.
'Jaah. Haar.' De politieman keek op naar de hut. Het was nu stil, geen teken dat er iemand binnen was. 'Wat zullen we doen? We kunnen haar niet zomaar daar laten.'
'Niet? Ze heeft daar lange tijd gezeten. Tenminste, dat denk ik. Ze was bang, doodsbang waarschijnlijk, maar toen ze haar moeder dood aantrof, had ze wel de tegenwoordigheid van geest om het lichaam neer te leggen. Op een gegeven ogenblik vandaag heeft ze wat melk gepakt. Terwijl wij hier buiten waren.'
Petersen kruiste zijn armen over zijn borst en keek Lovell verbaasd aan. 'Dus jij zegt dat we haar gewoon hier moeten laten. Gewoon weglopen en er niet meer aan denken.'
'Nee. Natuurlijk niet. Maar ik vind niet dat dit een zaak voor de politie is.'
'Nou...' Petersen schopte met zijn schoen in de zachte grond. 'Iemand moet in kennis gesteld worden. De sociale dienst of zo.'
Lovell knikte en begon de papieren te verzamelen die verspreid op de kofferbak lagen. 'Ze heeft geen sociaal werker nodig,' zei hij. 'Ze heeft een gecapitonneerde isoleercel nodig. Het is een zwaar gestoorde vrouw.'
Dat klinkt meer als jouw territorium dan het mijne,' zei Petersen.
'Dank je.'
'De Heer heeft je hierheen geleid, vreemdeling,' zei Petersen gniffelend.
'Dan zal ik er wel voor moeten zorgen,' zei hij. Lovell was verrast over zijn eigen reactie, lichtelijk verbaasd dat hij in die paar minuten een bezitterige belangstelling voor de vreemde vrouw in de hut had gekregen. Nadat hij de onwetende paniek in die blauwe ogen had gezien en had gehoord hoe ze leed, wist hij dat hij tussenbeide moest komen om haar te beschermen, haar af moest schutten van de wereld, net als haar moeder zo lang had gedaan. Het was een cruciale beslissing, maar hij hoefde er geen moment over na te denken.

Als Petersen het belang van deze beslissing al besefte, dan liet hij dat niet merken. Hij knikte alleen. 'Dat zou ik op prijs stellen. Ik heb op het moment echt mijn handen vol.'
Beide mannen wisten dat hij het niet had over een plotselinge golf van criminaliteit in het slaperige Richfield, noch over wijlen Violet Kellty of zelfs de plotselinge ontdekking van haar mysterieuze dochter. Todd Petersen had problemen thuis, problemen die hij ook daar probeerde te houden, maar daarin slaagde hij niet altijd.
Petersen ging achter het stuur van de auto zitten en startte de motor terwijl Lovell nog eenmaal langdurig naar de blokhut keek. Het huis was nu rustig, maar hij vroeg zich toch af of Nell toekeek. Hij had een gevoel van wel. Wat zou ze nu doen? Zou ze wachten tot de auto wegreed en dan wegrennen om zich in het bos te verbergen of zou ze in de buurt blijven van het enige huis dat ze ooit gekend had?
Hij bad in stilte dat ze ervoor koos te blijven waar ze was. Hoe goed iemand het bos ook kende, de vrije natuur kon genadeloos zijn. Van wat hij van haar kon zien, leek Nell mager, frêle, waarschijnlijk ook ondervoed. Hij betwijfelde of ze het harde leven in het bos lang zou verdragen.
'Jerry,' zei Petersen. 'Ik moet nu weg...'
'Ja. Sorry.'
Terwijl de auto langzaam van de open plek wegreed, wendde Jerry zich tot de chauffeur. 'Wat vind jij, Todd? Laten we dit onder ons houden. We willen toch niet dat het halve land daar gaat kijken?'
Petersen knikte. 'Ik moet een procesverbaal opmaken. Daarna is ze van jou.' Hij lachte droevig. 'En veel geluk.'

5

In de volgende twee dagen keerde Lovell tweemaal terug naar de afgelegen blokhut om Nell te zien. De eerste keer ging hij na geklopt te hebben naar binnen, alsof hij niets ongebruikelijkers deed dan een bezoekje brengen. Maar de hut was geheel verlaten; er heerste een diepe stilte, die al uren leek te duren.
Zijn teleurstelling over het feit dat hij haar niet aantrof was weggenomen door een simpele waarneming. De boodschappen waren in de keukenkastjes gezet en gedeeltelijk verorberd. Dat zei hem dat ze nog altijd in de buurt van het huis was. Tot zijn opluchting was ze kennelijk niet het bos in verdwenen. Lovell had verse melk en een doos havermout op de keukentafel achtergelaten om haar te laten weten dat hij geweest was, een zoenoffer dat haar, naar hij hoopte, zou vertellen dat hij geen kwaad in de zin had.
Het tweede bezoek bracht hij de volgende dag in de vroege morgen. Hij had zijn jeep op de asfaltweg geparkeerd en was door het vochtige bos gelopen terwijl hij de hut stilletjes naderde, in de hoop haar te kunnen zien zonder zijn aanwezigheid te verraden. Hij was in het struikgewas gaan zitten, zoals een jager in een hinderlaag, en had zitten wachten terwijl hij de omgeving door zijn veldkijker aftuurde. Naarmate de zon boven de scherp afgetekende horizon steeg, droogde het druipende struikgewas op en urenlang merkte hij ondanks zijn waakzaamheid niets op. Geen enkel teken wees op haar aanwezigheid, er was geen geluid, geen voetstap te horen, geen ruk aan de amberkleurige gordijnen te zien.
Lovell werd gepijnigd door besluiteloosheid. Hij moest weten dat alles goed was met Nell, dat ze veilig was in haar isolement. Toch wilde hij niet nogmaals naar de hut gaan omdat hij bang was dat hij haar zou wegjagen, zoals een dier een nest of hol verlaat als een vreemde het aanraakt.
Maar rond het middaguur werd zijn waakzaamheid beloond. Eerst wist hij niet zeker of hij het wel goed hoorde; misschien was het slechts een bedrieglijke windvlaag in de bomen.

Toen klonk het duidelijker. Het was Nell's stem, die in Nell's taal zong. '*Sussene pokies, sussene dokies, sussene siet, sussene bang, sussene kein, sussene wek, sussene alo'lek...*' Het treurige, zachte ritme zweefde over het open terrein als het geluid van een zangvogel. Lovell was verrast hoe opgelucht hij zich voelde. Hij luisterde tot Nell ophield en vertrok naar Seattle.

Nu hij de stad voor eens en voor altijd ontvlucht was, had Jerry Lovell er een hekel aan om terug te keren, zelfs al ging het slechts om een bezoekje. Maar hij kende naast zijn sterke punten ook zijn zwakheden als arts; het geval Nell lag buiten het gezichtsveld van zijn medische specialisaties en zelfs van zijn basisopleiding en hij wist dat hij hulp nodig had.
Hij had er een hekel aan erom te vragen. Hij had dat onrustbarende voorgevoel dat hij sinds die eerste dag had gehad niet van zich af kunnen zetten; Nell moest beschermd worden, als een dier in de vrije natuur, en hoe meer mensen van haar bestaan wisten, des te waarschijnlijker was het dat haar schade berokkend zou worden.
Tijdens de lange rit door de bergen naar de stad deed Jerry Lovell, plattelandsdokter, zijn best om te veranderen in dokter Jerome Lovell, toegewijd arts. Hij stopte bij een benzinestation tussen Bellevue en Seattle, trok een jasje aan, deed een stropdas om en probeerde wat glans op zijn afgetrapte schoenen te brengen.
Tijdens de lunch, die hij ongeïnteresseerd nuttigde, las en herlas hij het verslag dat hij had geschreven; een samenvatting van de gebeurtenissen van de laatste paar dagen, gecombineerd met zijn eigen medische waarnemingen. Lovell was niet tevreden over zijn werk. Het leek magertjes en lukraak opgeschreven en zijn pogingen tot psychologisch jargon leken onervaren en geforceerd. Meer dan eens vertrok hij gegeneerd zijn gezicht, ontzet over zijn pretenties en de enorme lacunes in zijn kennis.
Hij voelde zich een oplichter.
Over het ontwerp van de psychiatrische vleugel van het Washington State Medical Facility was duidelijk nagedacht. Lovell zag tot zijn vreugde dat de buitenkant, in tegenstelling tot de meeste overheidsinrichtingen, geen gotische verschrikking in rode baksteen was. Helemaal niet het soort gebouw waar je maar naar

hoefde te kijken om je het gegil van reeds lang overleden bewoners voor te stellen. Het was een modern, goed onderhouden ziekenhuis. Het gebouw zelf was een lang, laag, kunstig ontworpen geheel, dat grotendeels uit glas bestond, zodat het natuurlijke licht binnen kon vallen als tegengif voor het sombere weer in Seattle.

Op het moment dat Lovell door de voordeur naar binnen ging, realiseerde hij zich echter dat hij door de schijn bedrogen was, want hoe geslaagd het ontwerp ook was, het kon het neerslachtig makende karakter van dergelijke inrichtingen toch niet volledig maskeren. Het ziekenhuis was schoon en efficiënt opgezet en er leek goed voor de patiënten gezorgd te worden. En toch ademden de gangen en de hallen het ontmoedigende gevoel uit dat dit een eindstation was, een opslagplaats voor gebroken geesten.

Terwijl hij op zijn afspraak wachtte, keek Jerry Lovell naar de schuifelende optocht van patiënten: mannen en vrouwen van alle leeftijden die door de gangen zwierven met nietszeggende ogen en neerhangende armen. Een handjevol lag onderuit gezakt voor een blèrende televisie, zes paar holle ogen keken naar het scherm. Door het hele gebouw heen kon Lovell de doelloosheid voelen, het gevoel dat levens gewoon wegkwijnden.

Professor Alexander Paley was het type man dat prat ging op zijn ferme handdruk. Hij was een vriendelijke, joviale man van begin zestig met een autoritaire houding die geruststellend bedoeld was, maar die Lovell irritant vond. Hij had bij professoren als Paley medicijnen gestudeerd en kende het type goed: dat gemaakte glimlachje, de alwetende blik, het gevoel dat als hij je 'dokter' noemde, hij 'ventje' dacht.

Het kwam niet tot een beleefde conversatie. Paley verontschuldigde zich, vertelde Lovell dat hij verlaat was en stelde voor dat ze samen naar zijn volgende afspraak liepen. Het duurde enkele momenten voor Lovell zich realiseerde dat ze geen vertrouwelijk gesprekje zouden hebben in het kantoor van de professor, maar een gehaaste conversatie terwijl ze door de gangen snelden.

'U hebt een rapport, veronderstel ik?' De twee mannen liepen met grote passen door een gang, waarbij Paley elke arts die hij passeerde met een wuivend gebaar groette.

'Ja.' Het viel Lovell op dat de professor de patiënten niet leek te zien.
Paley verstond de kunst snel te lezen. Hij keek nauwelijks naar de twee getypte bladzijden, maar leek alles direct te begrijpen. 'Gilt. Slaat zichzelf. Klimt tegen de muren op.' Hij wierp Lovell een zijdelingse blik toe en trok een wenkbrauw op, als een professor die een doctoraalstudent stevig aan de tand voelt.
'Ze gedraagt zich alsof ze geen ervaring heeft met andere mensen,' zei Lovell gehaast, alsof hij graag wilde behagen. 'Er is geen geboorteakte. Ik veronderstel dat de moeder haar verborgen hield.'
Paley gromde en las nog een zin uit het rapport voor. 'Spreekt een onbekende taal? Wat moet dat nu weer betekenen, dokter Lovell?'
'De moeder was eenzijdig verlamd. Attaque. Mogelijk zelfs een aantal. De dochter heeft waarschijnlijk de vervormde spraak overgenomen.'
'Een vervormde spraak is geen onbekende taal,' zei Paley met een frons, alsof die doctoraalstudent hem teleurgesteld had.
'Dat weet ik. Maar hier is meer aan de hand dan alleen een spraakgebrek. Dat weet ik zeker.'
Paley bleef plotseling stilstaan voor een open deur. Binnen wachtte een aantal artsen rond een vergadertafel op Paley. Maar de professor negeerde hen en richtte zijn volledige aandacht op Lovell, waarbij hij hem met een vriendelijke, maar enigszins nerveus makende blik strak aankeek. Hij zweeg lange tijd, als een rechter die zijn vonnis overweegt.
Uiteindelijk zei hij: 'Goed, dokter Lovell. U interesseert me. Ik wil wel iemand op dit geval zetten.'
Lovell verwachtte noch wilde dit soort hulp. Wat hem betrof, was er al iemand met dit geval bezig. Hij schudde kort zijn hoofd. 'Ik vraag slechts om een psychologisch oordeel, professor. Ik wil graag weten waar ik mee te maken heb. En dan... als ik ermee overweg kan, dan zal ik dat doen.'
De professor draaide zich half naar de vergaderkamer toe. 'Is ze een patiënt van u?'
'Natuurlijk. Ik wil doen wat voor haar het best is.' Ik wil zèlf doen wat voor haar het best is, dacht hij.

'Dat doen we allemaal.' Professor Paley schudde Lovell's hand en wierp hem een vaderlijke glimlach toe. 'Dat is het eerste principe van de geneeskunde. De behoeften van de patiënt zijn altijd belangrijker dan die van onszelf.' Hij verdween snel de kamer in en sloot de deur, Lovell alleen in de gang achterlatend.
'Dat wist ik,' zei hij. 'Dank u.'

In het koude, harde schijnsel van de tl-lampen leek het erop dat de uitputting en teleurstelling op het gelaat van de moeder nooit uitgewist konden worden, evenals het irritante zestig-hertz gezoem van de armatuur de onherroepelijkheid van de toestand van haar zoon leek te onderstrepen. Ze zaten naast elkaar aan tafel, moeder en zoon, tezamen afgezonderd in de onderzoekskamer. Zij staarde flets naar de grond, terwijl hij langzaam ritmisch in de plastic stoel heen en weer bewoog. Hij benadrukte zijn zwaaiende bewegingen door met zijn voorhoofd tegen het tafelblad te slaan.
De moeder was niet aangedaan. Ze leek het stadium van ontzetting allang gepasseerd, uitgeput door de inspanning van de emoties, boos op zichzelf dat het vermogen liefde of medelijden voor haar kind te voelen haar ontnomen werd.
Ze rommelde wat in haar tasje en trok er een plastic doosje uit.
'Wil je een pepermuntje?' vroeg ze.
De jongen keek haar uitdrukkingsloos aan en deed vervolgens zijn best de woorden van zijn moeder te herhalen, maar alles wat hij voort wist te brengen was een warboel van lettergrepen.
De artsen hadden er een woord voor: echolalie. De artsen hadden een hoop woorden. Grote woorden die niets verborgen, niets bewezen, niets genazen.
Ze maakte zijn vingers los en liet het witte snoepje in zijn vuist vallen. Hij keek er even naar en begon weer te zwaaien en met zijn hoofd te bonken. Zijn onvermogen het pepermuntje op zijn tong te leggen irriteerde de vrouw en ze draaide zich half om in de stoel, alsof ze hem niet wilde zien.
'Je wilt jezelf pijn doen,' snauwde ze. 'Ga je gang. Doe jezelf maar pijn. Ik weet niet wat je wilt.'
Autosomaal recessieve overerving, noemden de artsen het. De moeder noemde het haar schuld.

Plotseling hield de zoon op en keek haar aan. Er trok een verwrongen lach over zijn lippen en even leken zijn doffe ogen te glimmen. In een flits verdween haar verbittering en zag ze de kleine jongen, háár kleine jongen, haar baby, in het zuivere licht van de liefde.
'O, schatje.' De moeder sloeg haar armen rond zijn nek en drukte hem tegen zich aan. Maar het moment was alweer voorbij. Hij wrong zich uit haar greep en begon weer heen en weer te zwaaien.
De tranen kwamen in haar ogen. 'Alsjeblieft, schatje. De dokter komt snel. Ze zal je wat geven. Ze zal ervoor zorgen dat je je beter voelt. Je zult het zien. Alsjeblieft, schatje.'
De onderzoekskamer was een koud, ongezellig hok, waarvan drie muren saai grijs geschilderd waren en de vierde bijna geheel bedekt werd door een grote spiegel. Achter die spiegel zat Paula Olsen in de verduisterde observatiekamer. Ze keek emotieloos naar het droevige tableautje door het eenrichtingsglas, daarbij precieze, gedetailleerde aantekeningen makend over het gedrag van moeder en kind.
Olsen was eind twintig, zou over een jaar afstuderen en kreeg een beetje genoeg van het toneel dat in de spiegel te zien was. De jongen was ruim tien jaar en zijn ontwikkeling stond stil. Vanuit een zuiver klinisch standpunt werd deze patiënt elke dag minder interessant. De annalen van de klinische psychologie stonden vol met case-study's als deze en hoewel Paula te doen had met het kind en de problemen van de moeder, meende ze dat verdere observatie geen zin had. Ze probeerde koste wat kost te voorkomen dat haar persoonlijke gevoelens haar professionele oordeel zouden vertroebelen.
Toch ging ze door met het maken van aantekeningen, omdat ze geleerd had dat te doen. Ze kon net zo goed deze sessie afmaken voordat ze de aanbeveling deed deze patiënt voorgoed op het tweede plan te schuiven.
Paula Olsen was bijzonder intelligent en erg knap. Ze had uitstekende, goed gevormde jukbeenderen, een brede, enigszins voluptueuze mond en golvend, halflang kastanjebruin haar. Ze had grote ogen die een ietwat dromerige blik hadden, een zachtheid die contrasteerde met de scherpte van haar geest en tong. Ze had

geen make-up op, wat zoveel zei als: neem me zoals ik ben.
De deur naar de observatiekamer ging achter haar open en professor Paley kwam zachtjes binnen.
'Mag ik even storen?'
Paula was blij wat afleiding te vinden voor het ontmoedigende schouwspel in de spiegel.
'Ik heb iets voor je.' Paley legde Lovell's rapport voor haar neer, midden in de felle lichtkolom op de schrijftafel.
'Wat is het?'
'Lees maar,' zei Paley. 'Ik denk dat je het erg interessant vind. Het heeft alle ingrediënten van een klassiek geval.'
Paula las snel de twee bladzijden, waarbij ze een steeds grotere opwinding voelde naarmate ze de informatie opnam. Dit was echt iets interessants.
'Wie heeft haar gevonden?' vroeg ze, zonder haar ogen van het papier te halen. 'Ene... Lovell.'
'Klopt.'
De jongen was ermee opgehouden zijn hoofd te stoten en zat nu roerloos met een volstrekt afwezige blik voor zich uit te staren. Hij trok zich weer in zijn eigen wereld terug. Zijn moeder streelde zachtjes zijn handen en neuriede in zijn oor. Het geluid van haar stem klonk metalig en vervormd door de luidspreker.
'Wie is dat?' vroeg Paula Olsen.
'Hij is een van de plaatselijke artsen daar,' zei professor Paley zonder veel interesse. 'Maar dit gaat zijn competentie te boven. Hij was tenminste nog zo verstandig naar ons te komen.'
Olsen keek haar mentor recht in de ogen. 'Denk je dat ze een wild kind zou kunnen zijn?'
'Misschien nog iets veel zeldzamers. Een wilde volwassene.' Paley toonde zijn flauwe, alwetende lachje en kruiste zijn armen over zijn borst. 'Dat zou iets bijzonders zijn, nietwaar?'
Paula knikte, terwijl ze aan de mogelijkheden tot onderzoek dacht. 'Dat zou het zeker zijn.'
'Wil je ernaar kijken?'
'Graag.'
'Ga je gang,' zei Paley, alsof hij Nell aan haar schonk, een genereuze gift van een meester aan een leerling.

6

Lovell was vroeg in de avond in Richfield terug, maar had geen zin naar het lege huis te gaan dat hij aan de zuidkant van de plaats huurde. In plaats daarvan reed hij naar zijn kantoor in Main Street en zette zijn jeep voorzichtig op zijn eigen parkeerplaats, waarbij hij ternauwernood een dronken jongen miste die langs de trottoirband lag. Lovell's praktijk lag naast de voornaamste bar van Richfield, een ruige zuiptent die Frank's Bar heette. Het was nu zeven uur 's avonds en er werd in de overvolle bar al flink ingenomen. De lucht vibreerde van de dreunende muziek uit de jukebox, en af en toe klonk daar bovenuit een schorre kreet van een van de klanten die in rijen van drie voor de bar stonden. Vechten was een geliefd tijdverdrijf bij Frank's en Jerry Lovell wist niet hoe vaak hij al opgeroepen was om een gescheurde lip te hechten of een stel gebroken ribben te verbinden.

Af en toe stelde de eigenaar van een van de respectabeler zaken in Main Street een petitie op om de bar te sluiten. Dan had hij genoeg van het iedere ochtend terugkerend ritueel van glasscherven opvegen en emmers braaksel van het trottoir spuiten. Lovell en zijn partner dokter Amy Blanchard tekenden dan plichtsgetrouw, maar Todd Petersen niet.

'Zo hou je alle rotzooi op één plek,' zei hij altijd. 'Waarom zou je het over de hele plaats verspreiden?' Daarnaast vond hij Frank aardig en meende dat een man niet van zijn legale werkzaamheden beroofd moest worden, hoe slecht die ook aangeschreven stonden. Op een of andere manier wist Frank altijd aan sluiting te ontkomen.

Lovell liep snel naar zijn praktijk, nauwelijks een blik werpend op Frank's of op de dronken man die in de goot lag. De secretaresse-receptioniste was al naar huis en had een stapel boodschappen achtergelaten, waarvan sommige meer dan twee dagen oud waren. Hij nam ze snel door, in de hoop dat er tijdens zijn afwezigheid geen spoedgevallen waren geweest. Sinds de

ontdekking van Nell had hij zijn praktijk schandelijk verwaarloosd.
'Wat is er met jou gebeurd?' Amy Blanchard stond in de deuropening van zijn praktijk, terwijl ze hem met een bijzonder strenge blik aankeek.
Lovell lachte schaapachtig. 'Dag Amy. Heb je waargenomen voor mij?'
'Natuurlijk,' zei ze schouderophalend. 'Wat heb ik de hele dag verder te doen dan waarnemen voor de jongste partner?'
Blanchard had bijna altijd een buitengewoon gelijkmatig humeur, maar deze avond lag er een vage irritatie op haar gerimpelde, meestal vriendelijke gelaat. Amy Blanchard was een lange vrouw van eind vijftig met zilverkleurig haar. Ze was een toegewijd arts en geboren en getogen in Richfield. Het was geheel aan haar te danken dat Lovell naar het plaatsje was verhuisd.
Ze had via het artsen-geruchtencircuit gehoord dat Jerry Lovell, een veelbelovende jonge oncoloog, plotseling ontslag had genomen in het ziekenhuis in Seattle en op zoek was naar een minder stressvolle baan. Blanchard had met de volharding van een trainer die een talentvolle jonge speler zoekt geprobeerd hem over te halen, waarbij ze hoog opgaf van de prachtige natuur in de Cascades en de vriendelijkheid van de Richfielders, en niet te vergeten het gebrek aan werkdruk in haar kleine plattelandspraktijk.
Pas nadat hij verhuisd was, had hij zich gerealiseerd dat Amy Blanchard het niet zo nauw had genomen met de waarheid. Hij moest erkennen dat het landschap schitterend was, maar hoewel de meeste inwoners van de plaats vriendelijk waren, was er toch ook een overvloed aan onaangename types als Calvin Hannick en Billy Fisher. En wat de praktijk aanging: hij leerde iets wat hij al had moeten weten: er bestaat in de medische wereld geen baan waar niet een zekere mate van stress aan te pas komt. Maar tegen de tijd dat dit alles goed tot hem was doorgedrongen, was het te laat om te vertrekken. Daar kwam bij dat hij aan Blanchard en de plaats gehecht was geraakt. Steeds als hij erover dacht te vertrekken, dacht hij aan Blanchard of een van zijn patiënten en besloot nog een tijdje te blijven, en nu, met de ontdekking van Nell, was vertrek ondenkbaar.

'Jerry, waar ben je in godsnaam geweest?' vroeg Blanchard op dringende toon. 'Ik heb vandaag drie telefoontjes voor jou beantwoord.'
'Zat er wat ernstigs bij?'
Blanchard schudde haar hoofd. 'Nee,' mopperde ze, 'maar het kost wel allemaal tijd.'
'Sorry, dokter Blanchard,' zei hij deemoedig. Hij begon te lachen. 'Amy, je zult me vergeven als je hoort wat ik gevonden heb.'
Amy keek sceptisch. 'Wat heb je gevonden, Jerry? Marsmannetjes?'
'Nee,' zei hij op vlakke toon. 'Maar wel zoiets... een wilde vrouw. Gromt als een dier. Ze spreekt een soort eigen taal. Klimt tegen muren op.'
'Vertel me dat ze alcoholiste is en haar kinderen mishandelt en je hebt het over mijn gemiddelde patiënt,' zei ze met een fijn lachje.
'Weet je, je hebt me echt een loer gedraaid toen je me vertelde hoe geweldig deze praktijk was.'
'Moest ik wel. Ik was ten einde raad.'
'Nou, dit maakt het allemaal de moeite waard,' zei Lovell. 'Ik meen het, Amy. Ze is heel, heel merkwaardig.'
'Dat zal wel.' Er stond nog steeds een ongelovige blik op Amy's gezicht. 'En waar heb je dit wonder gevonden?'
'Een eind weg, bij het meer.'
Nu keek Amy verrast. 'Bij het huis van Violet Kellty? Ik hoorde dat die arme oude ziel overleden was...'
'Kende je haar?'
Amy lachte en schudde haar hoofd. 'Nee, Jerry. Ik kende haar niet. Niemand kende haar. Ze kwam niet hier vandaan. Ik zat toen op de universiteit, het zal in 1960, misschien '61 geweest zijn. Toen ik terugkwam vertelde iemand me dat er een kluizenares was komen wonen. De bergen schijnen vreemde mensen aan te trekken. Mensen die met rust gelaten willen worden.'
'Mensen zoals ik?'
'Nee. Jij zit in het verkeerde vak om rust te vinden. Dat weet je.'
'Heb je haar nooit ontmoet? Nooit met haar gesproken? Alles wat je me kunt vertellen zou waardevol zijn.'

Blanchard dacht even na. 'Violet Kellty heeft minstens één attaque gehad, weet je. Dat heb ik van Mickey Tyler gehoord – hij was de Billy Fisher van zo'n vijftien jaar geleden – dus ging ik erheen. Ze was ontzettend zwak en lag maar in dat oude bed, niets dan huid en botten. Ze had in het ziekenhuis moeten liggen maar peinsde daar niet over. Ze was woedend dat ik gekomen was, ze probeerde me zelfs bijna van het terrein te jagen met een geweer; geen geringe prestatie voor iemand die een attaque heeft gehad.'

'Dat zou ik denken.'

Blanchard lachte quasi meelijwekkend en schudde haar hoofd. 'Ze was van een taai ras. Ze had dat geweer vlak naast haar bed liggen als een ware kenau. Het had me niet verrast als ze maïskolven rookte en met distilleervaten in de weer was.'

'Nou... ik denk het niet,' zei Lovell, terwijl hij aan de beduimelde bijbel dacht. 'Ze leek een flinke religieuze tic te hebben.'

'Kijk eens. Jij weet meer over haar dan ik.'

'Maar wat gebeurde er dan, nadat ze die attaque had gehad? Wat deed je toen?'

Amy Blanchard haalde haar schouders op. 'Wat kon ik doen? Ik heb wat strofantine neergelegd en ging weg, maar ik gaf Mickey steeds wat mee. Ik begreep nooit hoe ze zonder verzorging met een ernstige trombose kon leven.'

'Maar ze werd wel degelijk verzorgd. Haar dochter. Nell.'

'Een dochter!' Blanchard stond versteld. 'Jerry, dat is onmogelijk. Dat geloof ik echt niet.'

'Toch wel. Ik heb haar met mijn eigen ogen gezien.'

'Een wilde volwassene?'

'Klopt. Ze is gedomesticeerd in de ware zin des woords: ze woont in een huis. Ze draagt kleren. Ze kookt eten. Maar ze is vrijwel volledig onaangepast aan de maatschappij. Ze leeft zonder het geringste begrip van leven buiten haar...' Jerry haalde zijn schouders op. 'Ik denk dat je het haar territorium moet noemen.'

'Dat ze zeker ook nog met haar geur markeert, hè?' zei Amy cynisch.

'Kijk, dat is nu precies waar ik bang voor ben. Een hoop mensen zullen haar in een kooi willen stoppen en haar pinda's willen voeren.'

'Het spijt me... Wat wil je met haar doen?'
'Ik weet het niet.' Hij dacht enige momenten na. 'Ik was vandaag in Seattle om met de deskundigen te praten.' Hij lachte wrang bij het woord. 'Ik kan niet veel doen voor ik een soort evaluatie gekregen heb.' Lovell stond op en klopte op zijn zakken om zich ervan te overtuigen dat hij zijn autosleutels had. 'Ik wil geloof ik eerst zien hoe ze is als ze niet gek van angst is.'

Lovell reed van de hoofdweg af en sloeg het overgroeide bospad op dat naar de oever van het meer leidde. Hij zou verder doorrijden dan hij die ochtend had gedaan, maar een flink stuk voor de hut van Kellty doofde hij de koplampen en reed langzaam tussen het kreupelhout door. Hij stopte vlak bij de plek waar hij eerder die dag was geweest.
Er brandde licht in het huis, waardoor de kamers met de zachtgouden gloed van een petroleumlamp gevuld werden. Door zijn verrekijker ving Lovell een glimp van een gedaante op, een plotselinge beweging toen Nell langs een van de saffraankleurige ramen liep. Hij tuurde ingespannen door zijn veldkijker, maar lange, lange tijd zag hij geen beweging in het huis. Lovell liet de verrekijker zakken en bleef met zijn ogen op het huis gericht roerloos zitten, in stilte smekend dat ze naar het raam kwam.
Opeens, alsof ze zijn stille smeekbeden had gehoord, verscheen ze weer bij het raam, terwijl ze de nacht in staarde alsof ze iets op het duister afgedrukt zag staan. Ze keek niet naar Lovell en scheen zich er niet van bewust te zijn dat ze bekeken werd. Hij bracht zijn veldkijker weer naar zijn ogen en bestudeerde haar gezicht, verbaasd over de verandering in haar. Nu ze niet meer bang was, lag er een kalme blik over Nell's gezicht, een sereniteit die vertelde dat ze met zichzelf en haar omgeving in harmonie was.
Ze was ook mooi. Jaren van isolement en strijd om het bestaan hadden op haar gezicht geen tol geëist. Ze was mager geworden door ontberingen, maar zelfs van een afstandje kon Lovell zien dat haar huid glad was en een gezonde gloed had en dat haar haren een zachte glans hadden. Gedachteloos, alsof ze zich er niet van bewust was dat ze het werkelijk deed, bracht Nell de vingers van haar hand naar haar gezicht en streelde haar wang.

Het was een langzaam, teder gebaar en ze trilde enigszins, alsof de eenvoudige daad haar diep genot schonk.
'Dit is geen wild dier,' fluisterde Lovell. Ineens voelde hij zich een voyeur, een gluurder die ergens binnendrong waar hij niet geacht werd toe te kijken.

Nell zag de jeep niet, omdat de jeep er voor haar ogen niet was. Lovell was er niet, was geen deel van het uitzicht of de realiteit. Nell had staan turen door haar wijdopen, nietsziende ogen; ze had niet aandachtig naar het heden getuurd, maar naar het verleden.
Daar buiten, in de donkere avond, kon Nell haar herinneringen zien. De steiger die uitstak in het meer was een donkere streep door de glinstering van het teruggekaatste maanlicht en de wind voerde het zangerige geluid van het gelach van kinderen met zich mee. Nell kon gedaanten zien aan het eind van de pier, lichamen die gevormd waren uit een bedrieglijk samenspel van het licht en de verdwijnende schaduwen. Het waren kleine meisjes, een tweeling, zeven jaar oud, eeneiig: dezelfde blonde vlechten, dezelfde lange witte wijde jurken, dezelfde slanke blote benen.
Terwijl ze zo tegenover elkaar stonden, speelden ze een geheel eigen spelletje, waarbij ze veel lachten. Dit was hun eigen geheime ritueel, een intieme, genoeglijke, vertrouwde rite die ze op het contrapunt van een gefluisterd onzinliedje speelden.
'*Dibbe, dibbe,*' neuriedden ze. '*Dibbetje...*'
De tweeling stond met de handen voor zich uit, de palmen tegen elkaar, de vingers gestrekt. Ze staken hun handen steeds hoger op, tot hun armen recht boven hun hoofden waren.
'*Kei'n mei en mei'n kei,*' zongen ze met zachte, omfloerste stem. Ze haalden hun handpalmen van elkaar, drukten hun eigen handen samen en legden ze over elkaars hoofden.
'*Ressa, ressa, ressa mei...*'
Terwijl de twee lussen die hun armen vormden over elkaars schouders en rug vielen, bogen ze hun hoofd en raakten hun voorhoofden elkaar.
'*Dibbe, dibbe, dibbetje...*'
Op dit uiteindelijke, verstilde punt gekomen, terwijl hun licha-

men door het glinsterende water in profiel getekend werden, was dit ritueel een beeld geworden, een sterk portret van gedeeld vertrouwen en van wederzijdse steun. Ze waren met elkaar verbonden, maar niet in een volledige omhelzing. Ze zaten niet vast en bezaten elkaar niet.

Ze stonden dicht bij elkaar aan het uiteinde van de steiger met hun armen om elkaars middel. Hun andere armen waren uitgestoken waardoor ze net één kind leken met twee uitgestrekte armen. Ze begonnen langzaam te draaien tot ze helemaal rond waren en vielen toen plotseling achterover in het duister, het water in, zonder ook maar even te buigen of los van elkaar te raken. Het was een daad vol zuiver vertrouwen, waarin ze zich vrijelijk lieten gaan, alsof ze zich slechts op een zacht bed lieten vallen. Er klonk een vage plons en weg waren ze.

Lovell zag noch hoorde hier iets van.

Er trok een vaag lachje over Nell's gezicht bij de herinnering.

7

Todd Petersen meldde een paar dagen later de eenzame dood van Violet Kellty aan de sociale dienst in Olympia, de hoofdstad van de staat, en de autoriteiten daar faxten op hun beurt de informatie die ze over haar bezaten. Het was niet veel.
Er kwamen twee vellen papier uit het faxapparaat. Petersen sneed ze van elkaar en liet ze aan Jerry Lovell zien. Het ene was een geboortecertificaat, het andere een kaart met gegevens van de sociale dienst. 'Dit is alles. Haar hele leven, officieel. Heb je enig idee hoe moeilijk het vandaag de dag is géén stroom papier te veroorzaken? Tegen de tijd dat je dertig bent heb je een dossier over je van twee meter dikte.'
'*Big brother*,' zei Lovell.
Todd Petersen schudde zijn hoofd en lachte sardonisch. 'Er is niets sinisters aan. Het gaat er alleen om dat je tegenwoordig altijd een spoor van papier achterlaat. Tenzij je een kluizenaar bent als Ma Kellty. Het schijnt dat haar belastingen en zo door dat juridisch bureau in Tacoma werden geregeld. Ik heb ze gisteren gesproken. Niemand daar had haar ooit ontmoet of wist iets van haar. De enige partner die haar wèl kende is in 1969 gestorven. Violet Kellty was zo eenzaam als maar mogelijk is in deze wereld.'
'Maar dat was niet zo,' protesteerde Lovell.
'Officieel bestaat dat schepsel niet,' zei Petersen.
'Maar ze bestaat wel degelijk.'
Petersen toonde zijn langzame, ironische lach. 'Als ze niet in de dossiers zit, dokter, dan ademt ze niet. Niet volgens de grote staat Washington tenminste.'
'Dat is waarschijnlijk niet zo erg. Ik zou willen dat ze niks over mij wisten.' Hij dacht even na. 'Goed, we weten wie de moeder was; hoe zit het met de vader? Als we hem konden opsporen, dan is er misschien een kans dat hij...'
'Dat juridisch bureau heeft me dit gestuurd...' onderbrak Petersen hem, terwijl hij serieus werd.

Het was een faxkopie van een kranteknipsel. Lovell vertrok zijn gezicht toen hij de kop las: VROME KERKGANGER VERKRACHT. Er was een datum in de marge gekrabbeld: 31/10/59. Lovell las het artikel snel.
'Jee, die vent werd niet gearresteerd, maar dat weerhoudt hen er niet van haar naam èn adres af te drukken. Geen wonder dat ze vertrok en zich helemaal daar in de bergen verborg. Ze moet doodsbang zijn geweest. Panisch.' Volgens het korte artikel in de krant scheen Violet Kellty tot die verschrikkelijke dag in oktober 1959 een weinig bijzonder leven geleid te hebben. Ze was caissière in een winkel, actief in de plaatselijke pinkstergemeente en woonde alleen.
De fragmenten van de puzzel waaruit dit vreemde leven bestond begonnen in elkaar te passen. Eén enkele willekeurige gewelddadige misdaad en Violet Kellty's wereld was te gronde gericht. Gestigmatiseerd door een seksueel misdrijf dat in de kranten breed was uitgemeten, werd ze waarschijnlijk door een gevoel van schaamte ertoe gebracht zich af te keren van haar voornaamste steun, de kerk; of erger nog, de kerk had haar uitgestoten.
Toen ze merkte dat ze zwanger was van haar verkrachter, was dat zeker de definitieve klap geweest, de gebeurtenis die haar tot het leven van een kluizenares had gedwongen. Ze bracht het kind alleen ter wereld, in het bos, en het was veelzeggend voor het type vrouw dat ze was dat ze ervoor gekozen had het kind lief te hebben en op te voeden, een kind dat haar telkens als ze naar haar keek, herinnerd moest hebben aan haar trauma. En toch wist Lovell dat Violet van haar dochter gehouden had. De woorden die Violet Kellty in de bijbel gekrabbeld had kwamen weer in herinnering: *Waak over mijn Nell Goed kind...*
'Deze geschiedenis wordt steeds verbazingwekkender,' zei Lovell. 'Vind je het goed dat ik dit houd?'
'Mij best,' zei Petersen. De telefoon ging en hij nam op nadat de bel één keer was overgegaan. Hij luisterde even, terwijl zijn gezicht somberder werd. 'Waar is ze nu? Goed... Ik kom meteen. Bedankt, Frank. Ik begrijp je probleem.'
Instinctmatig wist Lovell wat het probleem was.
'Ik moet weg,' zei Petersen zachtjes.

'Je vrouw?'
De sheriff knikte. 'Ja,' zei hij zuchtend. 'Mary.'
'Kan ik soms iets doen?'
Petersen wierp Lovell een blik toe, een blik die bijna wanhopig leek. Hij haalde zijn schouders op. 'Wat kan wie dan ook doen?' vroeg hij.
Terwijl Todd Petersen langzaam Main Street af liep, zag hij een groepje omstanders bij elkaar staan op het trottoir voor Frank's Bar. Het was de gebruikelijke meute, de middagdrinkers en nietsnutten van Main Street, die daar maar wat stonden met de hol starende blik en de meelijloze nieuwsgierigheid van de afgestompten van geest. Petersen voelde zich kwaad worden toen hij hen zag, de mensen die een kick kregen van de openlijke ellende van een ander. Ze konden nog zoveel hun hoofd schudden en zeggen dat die arme Todd Petersen zeker zijn handen vol had met die vrouw van hem... Mooie bezorgdheid waarachter een gevoel van bekrompen zelfingenomenheid schuilging.
Mary Petersen zat in de goot, gekleed in niets meer dan een dunne katoenen nachtjapon met een vaag patroon, alsof de kleur eruit gewassen was. Haar blote voeten lagen in het straatvuil. Ze zat voorovergebogen. Haar sluike lange haar hing voor haar gezicht en haar magere schouders schudden onder haar gejank.
Frank, de bareigenaar, had een vlezige arm over haar schouders gelegd in een poging haar te kalmeren, maar ze huilde door, zonder iets te merken van de zwakke pogingen van de man haar te troosten.
Todd Petersen werkte zich met zijn ellebogen door de menigte. 'De voorstelling is voorbij, mensen. Maak het trottoir vrij.'
'Ik hoorde dat geschreeuw, Todd,' zei Frank, terwijl hij opstond. 'Ik ging naar buiten en zag haar.'
'Het is al goed, Frank. Bedankt.' Petersen ging vlak bij zijn vrouw zitten en nam haar in zijn armen, een vermoeide, beschermende liefde. Ze leek zichzelf te laten gaan in zijn omarming en klampte zich aan hem vast alsof alleen hij veiligheid kon bieden. Ze ging op in de omarming en langzaam werd het geween minder.
'Goed, schatje, goed,' zei hij zacht, terwijl hij haar haar glad streek. 'Ik ben nu hier. Je bent nu veilig... We gaan naar huis.'

De meute verspreidde zich nu en alleen Lovell stond nog naar het droeve tafereel te kijken. Mary Petersen was zijn patiënt, maar ze was zo depressief dat hij weinig voor haar kon doen. Hij voelde zich ellendig en hulpeloos toen hij haar zag, geërgerd dat hij niets meer kon doen. Andere artsen zouden een krachtige cocktail van tranquillizers en antidepressiva hebben voorgeschreven, grote doses diazepam en librium. Maar Lovell wist dat de doses groot zouden moeten zijn, zo groot dat ze niets voor Mary zouden doen, behalve dan zorgen dat ze in een gevoelloze verdoving terecht zou komen. De geneesmiddelen zouden ervoor zorgen dat ze volgzaam werd en gemakkelijk in bedwang te houden was, maar ze zouden geen enkele genezing teweegbrengen.
'Wil je dat ik straks langskom?' vroeg Lovell zachtjes.
'Ik denk het wel,' zei Petersen, terwijl hij haar naar zijn auto leidde. 'Als je denkt dat het nut heeft.' Hij klonk als een man die berustte in het gewicht van zijn last.
'Ik ben in mijn praktijk,' zei Lovell. 'Bel me als je me nodig hebt.'
Petersen knikte. 'Doe ik,' zei hij, ook al wist hij dat hij het niet zou doen. Soms dreigde hij overweldigd te worden door de hopeloosheid van de toestand van zijn vrouw, maar hij probeerde dat gevoel uit te bannen. Hij had geen andere keuze dan sterk voor haar te zijn. Hij kon zich niet permitteren te falen.
Lovell keek toe hoe de Petersens wegreden en keerde terug naar zijn praktijk. Voor zijn voordeur stond een auto geparkeerd, een rode MG-cabriolet. Er zat een jonge vrouw achter het stuur. Lovell had het gevoel dat ze, nadat ze getuige was geweest van het hele voorval met Todd en Mary Petersen, nu haar aandacht op hem richtte.
'Is dit uw auto?' vroeg Lovell.
'Ja.'
'Onderhoudt u hem zelf?' Hij liet zijn blik over de vloeiende lijnen van de kleine sportwagen glijden.
Dat leek een merkwaardige vraag en ze aarzelde even voor ze antwoordde. 'Ja.'
'Hij staat op mijn plek.'
Haar blik schoot even naar de bronzen plaat op de voordeur van

de praktijk. Daarop keek ze weer naar hem. 'Bent u dokter Lovell?'
'Dat ben ik.'
'Is die vrouw uw patiënt?' Ze keken beiden even naar de wegrijdende politieauto, die nu langzaam door Main Street reed.
'Lovell knikte. 'Ja, ze is mijn patiënte.'
'Wat voor medicatie gebruikt ze?'
'Waarom wilt u dat weten?'
De vrouw kwam met uitgestoken hand de auto uit. 'Ik ben Paula Olsen, afdeling Medische Psychologie, Algemeen Ziekenhuis Seattle.'
'Heeft professor Paley u gestuurd?'
Olsen knikte. 'Klopt.'
'Goed,' zei hij. 'Ik doe niet aan medicatie. Is dat een antwoord op uw vraag?'
'Het zegt me een hoop,' zei Paula.
De twee bekeken elkaar met zijdelingse, onderzoekende blikken, alsof ze elkaars maat namen. Lovell moest toegeven dat Olsen knap was, erg knap, maar dat had voor hem geen betekenis. Al binnen enkele dagen had hij een sterke bezitsdrang over Nell ontwikkeld en de plotselinge komst van Paley's gezant beviel hem niet. Hij had niet gewild dat er 'iemand op de zaak gezet werd', zoals Paley had voorgesteld, en toch was ze gekomen. Ze was een bedreiging, zowel voor hem als voor zijn autonomie en uiteindelijk ook voor Nell. Alles wat hij moest doen, was vaststellen hoe groot die bedreiging was en hoe moeilijk het zou zijn van haar af te komen.
Olsen van haar kant nam Lovell koeltjes op. Een arts die niet in medicijnen geloofde... dat was een houding die tegenwoordig steeds vaker voorkwam en in elk geval de indruk wekte dat Lovell de laatste trends in de farmacologie volgde; dat was tenminste iets, veronderstelde ze. Hij was echter ook de portier die tussen Olsen en haar object stond en die ze als zodanig voor zich moest winnen... voordat hij opzij gezet werd.
'Waarom komt u hier?' vroeg Lovell botweg.
Olsen lachte. 'U weet beslist hoe u een meisje op haar gemak moet stellen... U hebt om onze hulp gevraagd.' Ze keek hem quasi onschuldig aan. 'Weet u nog?'

'Ik heb om een psychologisch oordeel gevraagd,' zei Lovell. 'Dat is alles.'
'Ik hoop dat u niets diepgaands verwachtte op grond van het rapport van twee velletjes dat u opgesteld hebt,' zei ze schalks. De suggestie dat hij zijn competentie ver te buiten was gegaan bleef weliswaar onuitgesproken, maar was overduidelijk. 'Om een zinnige evaluatie van het object te maken is enig veldwerk onmisbaar. Dat zou u moeten inzien.'
Lovell waardeerde de stille kritiek niet, evenals het gebruik van de term 'object' als het om Nell ging. Maar hij moest toegeven dat ze gelijk had.
'Wilt u veldwerk?' gromde hij. 'Dan krijgt u dat.'

'Het is mooi hier,' zei Paula, terwijl Lovell de jeep over het bospad naar de hut van Nell stuurde. Ze waren net uit het dichte bos gekomen en hadden een eerste glimp van het meer opgevangen. Het water glinsterde in de late middagzon en het landschap leek uitnodigender dan ooit tevoren.
'Mooi en afgelegen,' zei Lovell met een hoofdknik. 'Niemand zal je er snel lastigvallen.'
'Waar verborg ze zich voor?' vroeg Paula. 'Waarom begraaft iemand zich zo?'
'Violet Kellty werd ooit verkracht.'
Paula zette grote ogen op. 'Dat stond niet in uw rapport.'
'Ik ben er net achtergekomen.'
'Vertelt u eens.' Paula Olsen haalde een notitieblok met lederen kaft uit haar rugzak en probeerde aantekeningen te maken terwijl de jeep over het pad hobbelde.
'1959. Violet Kellty is net veertig. Ze is gelovig, ongetrouwd. Waarschijnlijk maagd. Op een nacht wordt ze aangevallen, beroofd, verkracht... Een buitengewoon traumatische ervaring, zou ik zeggen.'
Paula knikte. 'En hoe!'
'De aanval zelf kan een attaque hebben veroorzaakt. Dat kunnen we nu niet weten. Ze kan zelfs een lange serie terugkerende trombotische aanvallen hebben gekregen. En dan ontdekt ze dat ze zwanger is. Wat zou u doen?'
Olsen dacht nauwelijks na over de vraag. 'Tja, in 1959 kon er van

abortus eigenlijk geen sprake zijn... Adoptie, denk ik.'
Lovell knikte vermoeid. 'Goed, goed... Ik heb het de verkeerde gevraagd. Wat zou Violet Kellty doen? Ze verbergt zich voor de wereld. Ze brengt het kind alleen ter wereld. Hier. Er wordt nooit aangifte gedaan van de baby. Ze verbergt het kind, verbergt de schande. Maar ze houdt van haar en voedt haar zo goed mogelijk op. Dat is een verbazingwekkend verhaal, hè?'
Paula Olsen had veel verbazingwekkende verhalen gehoord. 'Dat betekent dat ze negenentwintig is,' zei ze. 'Niemand blijft zo lang verborgen.'
'Nee?' Lovell keek in het rond naar het dichte bos, de dreigende rotsen en het ovaalvormige meer. 'Het is een groot bos.'

8

Lovell parkeerde zijn jeep ditmaal dichter bij de hut. Hij reed de auto bijna tot aan de trap naar de veranda. Hij wilde haar ruim op tijd waarschuwen dat ze eraan kwamen om te voorkomen dat Nell verrast werd.

'Komt ze de hut uit?' vroeg Olsen, de omgeving in zich opnemend.

'Als ze wil. Niets houdt haar tegen.'

'Waarom denkt u dan dat ze in een isolement gehouden is?'

'Kijk zelf maar,' zei Lovell, terwijl hij haar de versleten houten trap op leidde.

Nell stond in de deuropening tussen de slaapkamer en de keuken op hen te wachten. Ze stond krom en leek gespannen; haar rug was gebogen als bij een opgeschrikte kat. Ze leek klaar om te vluchten. Ze hield haar hoofd omlaag en keek hen met vurige ogen woedend aan, terwijl er een diep, dreigend gegrom uit haar keel kwam. Alle kleur was uit haar gezicht verdwenen.

Lovell voelde tegelijkertijd angst en medelijden, maar Paula Olsen was zakelijker. Ze kwam voorzichtig dichterbij met wijd open handen om te laten zien dat ze leeg waren.

'Nell...? Ik ben Paula Ols...'

Het gegrom groeide aan tot een gil die de hele kamer vulde. Alleen al het volume van het krankzinnige lawaai was genoeg om Olsen in haar beweging te stoppen. Maar ze week niet terug. Ze bleef met gesloten ogen volkomen stil staan, alsof ze wachtte tot de geluidsstorm voorbij was. Nell trok zich terug in de slaapkamer zonder de indringer uit het oog te verliezen. Ze keek nauwelijks naar Lovell; kennelijk was ze zich ervan bewust dat Paula Olsen een grotere bedreiging vormde. Toen het gillen wat minder geworden was, probeerde Olsen het nogmaals door de ene voet voorzichtig voor de andere te zetten, alsof ze aan het koorddansen was door de keuken van Kellty.

'Nell?'

Dat ene woord bracht haar tot razernij. Nell gilde – *Hai! Hai!* –

en verdween hals over kop grommend en krijsend in de slaapkamer. Ze krabde met haar scherpe nagels in haar gezicht en over haar borst en holde in een hoek van de kamer in het rond. Om de paar seconden bonkte ze met haar hoofd tegen de harde planken van de muren, waarbij elke klap het huis deed schudden.
Lovell kon zich niet inhouden. 'Nell! Nell! Hou alsjeblieft op! Alsjeblieft!'
Maar door deze smeekbeden leek haar woede te verdubbelen. Het gillen en grommen werd nog erger en ze haalde haar nagels over de witte huid van haar magere borst, waardoor er diepe rode strepen ontstonden.
'Stil nu!' beval Olsen.
'Ze doodt zichzelf nog!'
'Je maakt de zaak alleen maar erger. Wacht buiten.'
'Maar...'
Olsen sprak met opeengeklemde tanden. 'Ik zei: wacht buiten.'
De strenge toon van het bevel van Olsen en de intensiteit van Nell's angst dreven Lovell naar buiten. Hij vloog de trap af en probeerde niet naar het geëmotioneerde gegil binnen te luisteren. Haar angst leek in de bomen te weerklinken.
Opeens hield het op. Het gegil stierf weg en daarvoor in de plaats kwam het verontwaardigde '*Hai! Hai! Zzzslit!*' dat hij eerder had gehoord. Paula Olsen stond op de veranda, onaangedaan door Nell's agressieve gedrag. Zonder een woord te zeggen tegen Lovell pakte ze haar notitieblok van de voorbank van de jeep en begon te schrijven. Haar kilheid en zakelijke instelling brachten hem van zijn stuk.
'Ze doet niet zo als ze alleen is,' zei hij kalm. 'Vreemden maken haar bang.'
Olsen keek nauwelijks op van haar notities. Ze wierp hem een blik toe en ging verder met schrijven. 'Hoe weet u dat ze niet zo is als ze alleen is?'
'Ik heb haar geobserveerd.'
Deze keer hield ze op met schrijven, legde haar pen neer en keek hem met een koele, schattende blik aan. 'U hebt haar geobserveerd?' zei ze op neutrale toon.
Lovell haalde zijn schouders op, ietwat van zijn stuk door de kil-

le blik. 'Iemand moet zich toch om haar bekommeren, denkt u niet?'
'En u werpt zich op als vrijwilliger?'
'Misschien.'
'Denkt u dat u dat aankunt?' Paula Olsen keek naar haar notitieblok, alsof ze haar geheugen moest opfrissen.
'Wat bedoelt u?'
'Ik bedoel dat ze behoorlijk extreem gedrag vertoont, dokter Lovell.'
'Dat heb ik begrepen.'
'Voor haar zorgen kon weleens een volledige baan blijken te zijn, weet u.' Ze ging weer verder met haar aantekeningen.
Paula Olsen liet het niet blijken, maar ze was tamelijk opgewonden door Nell en haar extreme gedrag. Professor Paley mocht wellicht overdreven hebben toen hij zei dat deze casus alle ingrediënten van een klassieker had, maar er was wel heel wat aan de hand, genoeg dat van belang was voor een klinisch psycholoog als Olsen. Maar Lovell had zijn claim gelegd en zou die waarschijnlijk gaan verdedigen – daarover maakte ze zich geen grote zorgen, tenminste nog niet – maar er waren manieren om van hem af te komen als hij niet verkoos rustig te vertrekken.
'Hebt u genoeg gezien?' vroeg Lovell. 'Genoeg veldwerk gedaan?' Er lag enig sarcasme in dat op een na laatste woord.
Olsen lachte wat en schudde lichtjes haar hoofd. Nee, dacht ze, hij zal niet rustig vertrekken. Om een weg te banen naar Nell zou enig machtsvertoon nodig zijn en dat betekende dat er zwaar geschut ingebracht moest worden, zoals professor Paley. De professor was goed ingevoerd in de medische en wetenschappelijke gemeenschap van de staat en had enkele waardevolle politieke contacten in Olympia. Ze betwijfelde of een plattelandsdokter als Lovell stand zou houden tegen de druk die kon worden uitgeoefend.
Maar voor het moment wilde ze meer weten en een openlijke breuk voorkomen. 'Vertelt u eens,' zei ze. 'Hebt u bloed afgenomen?'
'Nee.' Het was nooit bij Lovell opgekomen bloed af te nemen. Hij moest er niet aan denken hoe Nell zou reageren als twee vreemden een naald in haar arm zouden steken.

Olsen keek hem weer strak aan met die koele, enigszins spottende blik, alsof ze wel geamuseerd móest zijn door zijn amateurisme. 'Het is gebruikelijk om eerst proberen te weten te komen wat er aan de hand is voordat we proberen er iets aan te doen, vindt u niet?'
'U probeert me toch niet te vertellen dat dit...' – hij zwaaide naar de blokhut – 'dat dit systemisch kan zijn, hè?' Hij lachte en schudde zijn hoofd. 'U maakt zeker een grapje.'
'Het kan van alles zijn,' zei Olsen schouderophalend. 'We kunnen geen enkele oorzaak uitsluiten voor wat er met haar aan de hand is.'
'Wat er met haar aan de hand is, is dat haar moeder is gestorven.'
'Misschien.'
Lovell voelde zich boos worden. 'Wat er aan de hand is, is dat haar moeder gestorven is en dat ze sindsdien geen rust meer heeft gekregen door een stel vreemden waar ze bang voor is.'
'Vreemden die haar bespioneren?' Ze wierp hem weer die venijnige glimlach toe.
'Ze heeft me niet gezien,' hield Lovell vol.
'Goed, het maakt niet uit. Maar we hebben beslist een bloedonderzoek nodig.' Ze sloeg het notitieblok met een klap dicht.
'Waarom?'
'Omdat ze volgens mij vrijwel zeker geestelijk achter is.'
'Denkt u? Dat is nogal een haastig oordeel, hè? Gebaseerd op vijf minuten gegil.'
Nu was het Paula's beurt om kwaad te worden. 'Dit is wat ik doe, dokter Lovell.'
'En wat is dat dan wel, doctor Olsen? Wat is uw specialisme?'
'Autisme en sociale deprivatie,' zei ze toonloos. 'En ik ben geen doctor Olsen. Ik heb mijn doctoraat nog niet.'
'Ooh,' zei Lovell met een hoofdknik. 'Nu snap ik het. Dàt is uw doctoraat.' Hij wees weer naar het huis. 'Nell is uw proefschrift.'
'Ze kan er deel van uitmaken. Hangt ervan af...'
'Waarvan?'
'Van het bloedonderzoek.'
'Wat gaat u daaruit afleiden?'

Olsen zuchtte diep. 'Als de oorzaak van het geestelijk achterblijven een prenatale infectie, een kinderziekte of een van de stofwisselingsstoornissen is, dan zal dat uit een bloedonderzoek blijken. En dan kunnen we behandelen. Als het om mishandeling door de ouder, schizofrenie, ontwikkelings-afasie of autisme gaat, dan gaan we een andere kant op. Heeft u een bloedafnamesetje in de jeep?'
'Ja,' zei Lovell, maar hij verroerde zich niet.
'Laat me eens raden,' zei Olsen. 'U wilt haar geen pijn doen, hè?'
'Ik zou willen dat ze me ging vertrouwen,' zei Lovell kalm. 'Dat lijkt me niet onredelijk. Ze zal het niet begrijpen. Als ik haar pijn doe...'
'Mooi,' kaatste Paula Olsen terug. 'Wilt u dat ik een ander haal om haar pijn te doen?'
'Ik...' Lovell was nog slechts in staat deze koele en wrede jonge vrouw strak aan te kijken. 'U zou haar kunnen doden,' zei hij.
'Doe niet zo belachelijk.'
'Ze zou kunnen wegrennen.'
'Dan zullen we haar vinden.'
Lovell draaide met zijn armen wijd in het rond, alsof hij de groene ruimte om hem heen geheel wilde omarmen. 'Daar?'
'Ze zal niet wegrennen.'
'En als ze dat wel doet?'
'We zullen ons daarmee bezighouden als het gebeurt.'
'Heel makkelijk,' snauwde Lovell. 'Trouwens, u hebt haar gezien. Ze zal daar echt niet blijven zitten om mij een naald in haar te laten steken.'
'Ik houd haar wel vast.'
'Is het zo eenvoudig?'
Paula Olsen begon de trap weer op te lopen. 'Ja. Zo eenvoudig is het,' riep ze over haar schouder.

Nell leek te voelen dat deze aanslag anders was dan de andere, dat de indringers deze keer iets anders in gedachten hadden dan alleen maar observatie. Ze zette grote ogen op toen Lovell en Olsen de slaapkamer binnenslopen en ze liep langzaam achteruit, waarbij haar ogen heen en weer schoten van Olsen naar de eng uitziende injectienaald die Jerry Lovell in zijn hand hield. Ze

kroop in een hoek en rolde zichzelf op tot een bal, zich zo klein mogelijk makend.
Lovell voelde van ellende zijn maag omdraaien; in stilte was hij ontzet over wat hij ging doen.
'Nell,' fluisterde hij, 'het is in orde, Nell. We willen je helpen. We moeten dit doen om je te helpen.'
Nell jankte en haar ademhaling werd sneller en oppervlakkiger. Met een verwrongen gezicht sloot ze haar ogen en sloeg toen krachtig met haar hoofd tegen de muur.
Lovell huiverde bij het geluid van de klap. 'Niet doen,' smeekte hij wanhopig. 'Doe dat alsjeblieft niet.'
Nell opende haar ogen en zag ontzet hoe dichtbij ze waren, dichterbij dan een vreemde ooit geweest was. Ze reageerde onmiddellijk. Ze begon angstig op hoge toon te gillen, terwijl haar armen wild in het rond sloegen.
Lovell stopte en deed een paar passen achteruit, vol afschuw over de enorme woede en gekweldheid die ze uitstraalde.
Paula Olsen deed het tegenovergestelde. Ze schoot naar voren en wierp haar armen om de gillende vrouw heen. Ze hield haar stevig vast in een omarming. Een moment lang gilde en vocht Nell, maar plotseling werd ze slap en stil. Ze volgde het instinct van alle wilde dieren die in een dodelijk gevaar terechtkomen: ze deed alsof ze dood was. Olsen verminderde haar greep niet, maar streelde haar, zodat ze haar hete huid en kloppende aderen voelde. De borst van Nell ging hevig op en neer.
Lovell had niet bewogen. Hij stond aan de grond genageld te kijken, geschokt door de aanblik. Hij realiseerde zich dat hij Nell op een vreemde manier was gaan accepteren als een gillend, om zich heen slaand dier. Te zien dat ze zich overgaf en deed alsof ze dood was, was nog verbazingwekkender.
Maar Olsen leek slechts vastbesloten van het moment te profiteren. 'Nu,' beval ze.
Lovell leek niet tot actie in staat. Hij zette een onzekere stap naar de twee vrouwen en bleef weer staan.
Olsens stem klonk harder, laag en volhardend, kwaad. 'Nu! Schiet op dan!'
Haar kwaadheid bracht hem tot actie. Hij dwong zichzelf naderbij te komen, schoof de losse mouw van Nell's linnen hemd

naar achteren zodat haar magere witte arm zichtbaar werd. Hij had een in alcohol gedepte watje in zijn linkervuist verborgen en slaagde erin dat over de huid te wrijven. De blauwe ader in de holte van haar elleboog contrasteerde met de bleke huid en hij stak de naald erin. Hij deinsde terug toen ze ineenkromp door de pijn. Snel trok hij een vol buisje bloed op. Er stonden tranen in zijn ogen.

De huilende uithalen van Nell achtervolgden hen toen ze het huis uit liepen. Maar haar stem klonk niet meer dreigend; dit was een laag, droevig geluid, vol emotie en zelfmedelijden, alsof ze het opgegeven had. Ze klonk alsof ze aangerand was.
Lovell gooide zijn zwarte dokterstas op de achterbank van de jeep en smeet de achterdeur dicht. Hij haatte zichzelf om wat hij gedaan had en haatte Paula Olsen omdat ze hem ertoe gedwongen had. Hij haatte haar zelfingenomen, pedante manieren en haar klinische gebrek aan medeleven. Boven alles haatte hij de air die ze bezat, de onuitgesproken suggestie dat ze die dag iets goeds gedaan hadden.
Zonder een woord te zeggen zette Lovell zich achter het stuur van de jeep en startte de motor.
'Naar mijn mening,' zei Olsen, 'moet ze worden opgenomen in een psychiatrische kliniek, waar ze de professionele zorg kan krijgen die ze nodig heeft.'
Lovell keek haar zelfs niet aan. 'Naar mijn mening is uw mening gezwets.'
Zijn boze woorden hadden geen enkele invloed op haar professionele gereserveerdheid. 'Raakt u bij al uw patiënten zo emotioneel betrokken, dokter Lovell?'
Hij schakelde bruusk de versnelling in en keek haar aan. Deze keer was het Lovell die een strakke, kille blik liet zien. 'Ja,' zei hij bars. 'Dat probeer ik wel.'

9

ZOEKTERM: WILDE KINDEREN

De trage, verouderde computer in de openbare bibliotheek van Monroe dacht lang na over het verzoek van Lovell, alsof de machine erover twijfelde het te honoreren. De openbare bibliotheek van Richfield was jaren geleden gesloten als gevolg van verminderde subsidies en een algeheel gebrek aan belangstelling. Lovell was daarom gedwongen het hele eind door de bergen te rijden naar de bibliotheek in de hoofdstad van het district.

De computer besloot aan zijn verzoek te voldoen. Er waren vier boeken in de bibliotheek over wilde kinderen, waaronder het klassieke *Victor de l' Aveyron: Dernier Enfant Sauvage, Premier Enfant Fou* van Thierry Gineste. Lovell kende niet genoeg Frans om het hele boek te lezen, maar hij kon de titel vertalen en die beviel hem niet, aangezien zijn gezichtspunt er niet in ondersteund werd: *Victor van Aveyron, het laatste wilde kind, het eerste geestelijk gestoorde kind.*

Victor was waarschijnlijk het beroemdste wilde kind in de geschiedenis. Hij werd in de achttiende eeuw op het Franse platteland ontdekt en zou in de vrije natuur door wilde beesten zijn opgevoed. Hij werd geadopteerd door een plaatselijke dokter die hem probeerde te domesticeren, maar Victor stierf een ellendige dood omdat men dacht dat hij geestelijk totaal ontredderd was door de verstikkende effecten van de beschaving. Victor, *l' enfant sauvage*, werd een symbool van de edele wilde die door de filosofen van het rationalisme van zijn tijd zo vereerd werd. Tegenwoordig dacht men dat Victor zwaar geestelijk gehandicapt was, een verkeerd begrepen patiënt, die door een verkeerde benadering en verwaarlozing stierf.

Het boek van Gineste kon slechts een ondersteuning zijn van Paula Olsens bewering dat Nell een geestelijk gestoorde was die van overheidswege verzorgd moest worden. Lovell besloot er geen aandacht aan te schenken.

De andere drie titels leken meer te beloven. De eerste was *Bear Children, Monkey Children* van Paul Massanet, een onderzoek over wilde kinderen die in afgelegen streken in India en andere delen van het Verre Oosten ontdekt waren. Maar twee andere boeken deden zijn pols werkelijk sneller slaan: *Language and Isolation* van Stephen Renquist en *Genie: A Psycholinguistic Study of a Modern Day Wild Child* van Susan Curtiss.

Lovell vond beide boeken op de planken en ging ze in een hoek zitten lezen, terwijl hij uitvoerig aantekeningen maakte. Geen van beide boeken gaf hem een sleutel waarmee hij Nell's taal kon begrijpen, maar ze gaven hem wel enig inzicht in de manier waarop zij haar spraak vormde, welke processen er plaatsvonden.

Toen de bibliotheek dichtging, had Lovell dertig pagina's aantekeningen, maar tegelijk bekroop hem het ontmoedigende gevoel dat de tegenstanders als het om kennis ging lichtjaren op hem voor lagen. Hij twijfelde er niet aan dat Paula Olsen en Alexander Paley goed op de hoogte waren van de literatuur over wilde kinderen en dat ze moesten weten dat de meeste deskundigen hun bewering steunde dat er niet zoiets als een wild mens bestond, maar slechts geestelijk gehandicapten wier ontwikkeling verder belemmerd was door een asociale en onorthodoxe opvoeding. Het zou meer kosten dan een paar uurtjes met de schamele verzameling in een provinciale bibliotheek om hen aan te vallen op de feiten die in jarenlang deskundig onderzoek waren vastgesteld.

Lovell lette tijdens de rit terug naar Richfield nauwelijks op het landschap of de andere auto's op de weg. Hij dacht voortdurend aan het probleem en probeerde een strategie te vinden die Nell zou beschermen. Hij had het gevoel dat hij in de plaats was gekomen van Violet Kellty, alsof hij nu op een of andere manier belast was met de taak Nell tegen de buitenwereld af te schermen en dat hij net zo waakzaam moest zijn als de moeder was geweest.

Dit was voor hem een merkwaardige positie. Lovell beschouwde zichzelf als een activist, een praktisch arts die zijn patiënten van hun ziekten probeerde te genezen. Maar nu, met Nell, bevond hij zich in een behoudende positie, waarin hij de bestaande toestand moest verdedigen. Hoe hij het ook probeerde, hij kon geen reden bedenken om Nell uit haar natuurlijke omgeving weg te halen. Ze was gelukkig in haar afzondering, veel gelukkiger dan ze in een psychiatrisch ziekenhuis zou zijn. Violet had erop toegezien dat er financieel voor haar gezorgd werd, zodat haar dochter nooit iemand nodig zou hebben of gebrek zou hebben aan haar simpele levensbehoeften.

Hoe nobel, hoe redelijk het ook mocht zijn om te proberen haar hieruit te halen, haar te 'genezen', hij kon geen beter scenario bedenken dan haar gewoon met rust te laten.

Maar de aanval kwam zeker en hij moest gereed zijn erop te reageren. Olsen en Paley zouden zeggen dat zij het het best wisten, dat zij alleen voor Nell konden zorgen, dat ze een kind was dat hun hulp nodig had. Zijn enige hoop was te bewijzen dat ze het verkeerd hadden, te bewijzen dat Nell een vrouw in haar eigen recht was, iemand die binnen haar eigen samenleving functioneerde. Hij moest aantonen dat ze geen wilde vrouw, imbeciel of zelfs casus was, maar een mens.

Hij reed zonder bij zijn praktijk of huis te stoppen door Richfield direct naar de blokhut van Nell. Het was een rustige avond en het maanlicht scheen op het meer; het enige geluid was afkomstig van het water dat zachtjes tegen de oever klotste. Er was geen licht aan in het huis en er kwam geen rook uit de schoorsteen, maar toch was hij deze keer niet bang, niet bezorgd dat ze het bos in gevlucht was. Hij wist gewoon dat ze er nog was, dat ze veilig in het vervallen huisje zat.

Lovell hield van deze stille plek, waar hij zich klein en onbespied kon voelen onder het grote baldakijn van sterren en planeten. Hij hield ervan bij Nell te zijn.

Hij wist niet meer hoeveel tijd er voorbij was gegaan terwijl hij daar zat – veel tijd, lang genoeg om te zien dat de sterren in het zonnedak van zijn jeep zich verplaatst hadden – maar hij maakte zich niet druk om de tijd.

Toen Nell in de deuropening van haar huis verscheen, dacht hij eerst dat het gezichtsbedrog was, en hij tuurde in het duister om zich ervan te overtuigen dat ze daar werkelijk stond. Ze keek niet in zijn richting, was zich er misschien niet van bewust dat hij zich daar schuilhield en naar haar uitkeek.

Ze liep snel stilletjes over het open terrein naar het eind van de steiger. Ze bleef aan het uiteinde ervan geruime tijd stilstaan zonder zich te verroeren.
Toen leek Nell te huiveren, met een snelle heen en weer gaande beweging van haar magere schouders, en ze ontdeed zich van haar jurk. De dunne stof viel in een verkreukelde hoop voor haar blote voeten. Daar stond ze, naakt en broodmager, terwijl haar bleke huid in het maanlicht oplichtte.
Lovell hoorde hoe zijn adem in zijn keel stokte en hij bleef zonder zich te durven verroeren toekijken, alsof de geringste beweging door haar opgemerkt kon worden en haar ertoe zou brengen te vluchten. Toen hij haar zo zag, realiseerde hij zich dat ze mooier en gracieuzer was dan hij ooit voor mogelijk had gehouden.
Nell stak haar armen lenig en soepel omhoog, draaide langzaam rond en viel achterwaarts in het water. Er was een vage plons te horen en daarna verdween ze in het donkere water. Lovell tuurde naar de plek en markeerde die met zijn ogen, terwijl hij met kloppend hart wachtte tot ze weer boven zou komen. Ogenblikken groeiden aan tot seconden en hij voelde de paniek opkomen.
'Nell...' fluisterde hij, in een poging haar uit de diepten te halen. Zijn keel was droog en werd dichtgesnoerd en hij begon onwillekeurig aan de portiergreep te rommelen. 'Nell, in godsnaam!'
Opeens kwam ze aan de oppervlakte. Ze lachte en straalde geluk uit, terwijl het water van haar gezicht stroomde. Lovell zag haar maar heel even voor ze haar longen met koele lucht vulde en weer onderdook in de golven en wegzwom, een waternimf in de nacht.

Lovell werd wakker omdat de telefoon overging. Hij opende zijn ogen en pakte versuft de telefoon. Hij was in zijn eigen bed, in zijn eigen huis. Bij het wakker worden voelde hij een droom wegglijden.
'Heb ik je wakker gemaakt?' De stem aan de andere kant van de lijn was van Todd Petersen.
'Het geeft niet,' zei Lovell, zijn ogen uitwrijvend. 'Ik heb me verslapen.' Hij keek naar de klok op het nachtkastje. Het was al ne-

gen uur geweest. Eerst dacht hij dat hij over Nell gedroomd had, Nell die in het meer zwom, maar al snel realiseerde hij zich dat het geen droom was. Hij had tot diep in de nacht bij het meer gezeten en haar plezier zien maken.
'Alles goed?' vroeg Petersen.
'Ja... Zeker... Wat is er aan de hand, Todd?'
'Nou, ik zit hier met een bevel tot opname. Is net uitgegeven. Het is voor Nell.'
Lovell was nu helemaal wakker. Terwijl hij de vorige avond onder de sterren had zitten mijmeren, was Paula Olsen druk bezig geweest. 'Dat klerewijf,' riep hij. 'Olsen, zeker?'
'Die ja,' zei Todd Petersen. 'En een zekere Paley. Alexander Paley. Ken je die?'
'Ja. Die ken ik.' Lovell zette de luidspreker van de telefoon aan en sprong uit bed. Snel trok hij een spijkerbroek aan en zocht in de kast naar een schoon overhemd.
'Zeg,' zei Petersen, 'wat moet ik hiermee aan?'
'Kun je het verliezen of zo?' Lovell knoopte snel zijn overhemd dicht en begon zijn schoenen te zoeken.
Petersen Lachte. 'Verliezen? Nee, ik kan het niet verliezen. Jerry, het is een bevel van de rechtbank. Ik moet het uitvoeren.'
'Ik heb wat tijd nodig, Todd. Kun je het langzaam ten uitvoer brengen? Een beetje treuzelen?'
Het bleef lang stil. En toen: 'Goed, ik kan het rustig aan doen.'
'Hoe lang heb ik?'
'Ik denk dat ik tot na de lunch kan wachten.'
'Maak er een lange lunch van.'
'Ik zal het proberen.'
'En Todd... Heb je enig idee waar Don Fontana is?'
Petersen gniffelde. 'Ik weet dat hij niet op zijn kantoor is. Niet sinds het visseizoen open is. Als ik jou was zou ik het bij de noordelijke arm van de Tolt proberen.'

Don Fontana was de enige advocaat van Richfield. Ook hij was uit de grote stad gevlucht en probeerde zo goed mogelijk werk en vrije tijd gescheiden te houden. In het stadje was net genoeg juridisch werk voor hem om een aardige boterham te verdienen, maar op het moment dat zijn werk af was, ontvluchtte hij zijn

kantoor om te gaan vissen in de beken en rivieren die de omgeving doorkruisten.
Lovell vond hem terwijl hij tot zijn heupen in het water stond, even stroomopwaarts van enkele stroomversnellingen. Er hing een lijn van zijn hengel in het water.
'Hé, Don,' zei Lovell terwijl hij uit zijn jeep stapte. 'Hoe komt het toch dat je altijd aan het vissen bent als ik een advocaat nodig heb?'
Fontana haalde zijn blik niet van de vislijn af en bleef naar de dobber kijken die in het snelstromende water dreef. 'Hoe komt het dat je me altijd lastigvalt als ik aan het vissen ben, Jerry?'
Lovell grijnsde. 'Het spijt me, Don. Maar ik heb een probleempje.'
'Dacht ik al. Mensen komen nooit bij mij met goed nieuws.'
'Je zou eens moeten proberen arts te zijn.'
'Ik zou eens moeten proberen met pensioen te gaan,' zei Fontana, terwijl hij uit het water kwam. Hij ging aan de oever zitten en gespte zijn lieslaarzen los. Met een nat, zuigend geluid trok hij ze uit. 'Wat is er aan de hand?'
'Je hebt gehoord over Violet Kellty.'
'Jaja.'
'Heb je over haar dochter gehoord?'
Fontana herhaalde verbaasd: 'Dochter?'
Lovell knikte. Hij was blij met Fontana's reactie. Het betekende dat Nell's bestaan nog altijd een geheim was, een waardevol gegeven in een kleine plaats als Richfield. 'Het schijnt dat ze een dochter had. Ze heeft haar helemaal alleen ter wereld gebracht en haar in die hut daar grootgebracht. We denken dat ze ongeveer dertig jaar is, misschien negenentwintig. We weten het niet zeker.'
'Ongelooflijk,' zei Fontana hoofdschuddend.'Ik hoor al zo lang als ik hier woon verhalen over Ma Kellty. Maar zoiets heb ik nooit gehoord.'
'Verhalen? Wat voor verhalen?'
'De gebruikelijke dingen,' zei de advocaat met een licht schouderophalen. 'Dat ze een heks is... dat ze een geestverschijning is. Het soort dingen dat kinderen zeggen. Maar niemand heeft het ooit over een dochter gehad.'

'En toch bestaat die. Maar er is een probleem...' Snel verklaarde Lovell zijn probleem met Olsen en Paley, het opnamebevel van de rechtbank en zijn twijfels of het verstandig was Nell weg te halen uit het enige huis dat ze kende.
Fontana was niet gek op werk, maar hij hield wel van een goed gevecht, vooral als de tegenstander de staat Washington of een andere overheidsinstantie was. Hij luisterde aandachtig, maar Lovell kon zien dat hij al het denken was en een strategie beraamde.
'De staat mag slechts verwijderen op grond van een beperkt aantal redenen,' zei hij. 'Bijvoorbeeld: is haar leven daar in gevaar?'
Lovell dacht aan haar moeiteloze zwempartij in het donkere water van het meer en schudde zijn hoofd. 'Ik zie niet in hoe.'
'En ze is niet minderjarig? Dat weet je zeker?'
'Absoluut.'
'En hoe zit het met haar geestelijke toestand?' vroeg Fontana. 'Is ze geestelijk onvolwaardig?'
Lovell trok een grimas. Dit was een veel verraderlijker onderwerp. 'Tja, het valt niet te ontkennen dat ze geestelijk enigszins... labiel is. Maar dat kun je verwachten. Ze heeft tenslotte net haar moeder verloren. Dat zou voldoende zijn om iedereen van slag te brengen, onder alle omstandigheden.'
Fontana knikte. 'Zeker.'
'Voeg daarbij dat volstrekte vreemden steeds maar blijven opdagen en haar lastigvallen, dan is het volkomen normaal dat ze van streek is.' Hij sloot zijn ogen en zag weer de angst en haat in Nell's ogen toen ze probeerden bloed bij haar af te nemen.
'Maar is ze handelingsbekwaam?'
'Misschien. Misschien niet. Dat is nog niet vastgesteld.'
'Zijn er naaste verwanten?'
Lovell schudde zijn hoofd. 'Niemand.'
'Voogd?'
'Niemand,' zei Lovell. 'Don, Nell bestaat officieel niet. Tot voor een paar dagen wist niemand dat ze leefde, behalve natuurlijk Violet Kellty.'
'Dat doet er allemaal niet toe,' zei Fontana met een lachje. 'Dat is het mooie hiervan.'
'Het mooie?'
'Ze heeft nog altijd rechten. Daarvoor hoef je niet ingeschreven

te staan bij de burgerlijke stand. Is ze in staat haar wil te bepalen? Daar gaat het om.'
'Haar wil te bepalen?' Lovell dacht even na. 'In principe zie ik niet waarom niet. Maar ik betwijfel of ze zou begrijpen wat haar gevraagd werd.'
'Waarom niet?'
'Nell spreekt haar eigen taal.'
'Fontana zette grote ogen op. 'Haar eigen taal?'
Lovell knikte. 'Dat klopt.'
'Jee... Haar eigen taal...' Fontana zette zijn tanden even tegen zijn bovenlip. 'Weet je, dat is nog niet zo slecht. De wet is erg duidelijk over het bepalen van de wil.'
'Wat doen we nu?'
'Eerst gaan we naar kantoor om wat werk te verrichten,' zei Fontana. Hij begon zijn spullen te pakken, haalde zijn hengel uit elkaar en borg die in de foedraal. Hij zuchtte diep. 'Maar het vissen is voorbij.'

De kleine colonne auto's hobbelde over het pad naar de hut van Nell, met Paula Olsen voorop om de weg aan te geven. Ze zat achter het stuur van haar MG, zonder te letten op het effect dat het ruige terrein op de gevoelige vering van de sportwagen had. Direct achter haar reed Todd Petersen in zijn politieauto. Achteraan, bezig met zijn tweede rit naar de blokhut in een week, reed de ambulance uit Monroe.
Olsens auto volgde een bocht in de weg en stopte toen plotseling omdat de doorgang versperd was. Dwars over het pad stond Lovell's jeep, waar Lovell en Fontana tegen leunden alsof ze op wacht stonden.
Paula Olsen wierp de twee mannen een boze blik toe toen ze uit de auto stapte, maar ze verwaardigde zich niet iets tegen hen te zeggen.
'Sheriff,' zei ze tegen Petersen. 'Wilt u zich alstublieft hiermee bezighouden.'
Todd Petersen kwam uit zijn auto en liep op Lovell en Fontana af met een stuk papier in zijn hand.
'De sheriff heeft een volgens de regels uitgevaardigd rechterlijk bevel dat ons noodzaakt Nell op te nemen,' zei Olsen.

Petersen haalde verontschuldigend zijn schouders op. 'Sorry, Jerry.' Hij raakte de rand van zijn hoed aan. 'Hoi, Don.'
'Hoe gaat het, Todd?'
Hij stak het stuk papier uit. 'Het spijt me, maar deze dame vertelt de waarheid. Ze is naar Monroe gegaan om een rechterlijk bevel te halen en het is mijn plicht dat uit te voeren. Zo is het nu eenmaal.'
'Het is voor Nell's eigen bestwil,' zei Olsen op scherpe toon. Ze was het zat om in dit kleine drama als de schurk behandeld te worden. Als Lovell en Petersen niet konden inzien dat Nell dringend hulp nodig had, dan moest dat maar zo zijn. Nell's welzijn was haar enige zorg en hoe eerder ze de bemoeials en amateurs kwijt was, des te eerder kon Paula met het serieuze werk beginnen: hulp verlenen aan Nell.
'Haar eigen bestwil?' zei Lovell. 'Hoe weet u dat? Hebt u dat gevraagd?'
'Kijk eens,' zei ze, terwijl ze haar laatste restje geduld voelde verdwijnen. 'U weet dat dat onmogelijk is.'
'Dat is dan jammer,' zei Lovell, terwijl er een lachje over zijn gezicht trok. 'Omdat we vanochtend zelf naar Monroe zijn geweest en Don daar eveneens een rechterlijk bevel heeft verkregen.'
'Is dat zo? En wat staat daarin?'
Lovell haalde diep adem. 'Daarin staat dat tenzij Nell uit vrije wil verklaart dat ze aan uw zorgen wil worden toevertrouwd, u inbreuk maakt op haar rechten. En als u dat doet, dan zal ik tegen u procederen tot aan het hooggerechtshof. Laat het ze maar zien, Don.'
Don Fontana haalde een stuk papier uit een gehavende aktentas. 'Hier.'
Todd Petersen deed zijn best zijn glimlach te verbergen. Paula Olsen had geen beheersing over haar eigen reactie op deze ontwikkeling. Haar wangen werden rood en haar ogen schoten kwaad heen en weer. 'Dit is belachelijk. Hoe kan ze nu uit vrije wil toestemmen? Ze is niet tot zoiets in staat. Ze spreekt zelfs een andere taal.'
'Nou,' zei Fontana langzaam, 'de wet is heel duidelijk, mevrouw...'

'Olsen.'
'Olsen. Als ze niet onze taal spreekt, moet ze middels een geschikte tolk haar toestemming geven. Zo eenvoudig is dat.'
Olsen rolde met haar ogen en draaide zich half om alsof ze op het punt stond weg te rennen. Toen stopte ze en staarde de twee mannen strak aan. 'Dit is idioot. Wat nou tolk? Er is niemand in de hele wereld die haar taal spreekt. Dat weet je, Lovell.'
'Ik denk dat iemand dan haar taal zou moeten leren,' zei hij.
Paula Olsen wendde zich tot Todd Petersen. 'Sheriff, u hebt haar gezien. U moet toch weten dat ze niet normaal is.'
'Niet normaal zijn, dat is geen misdrijf,' zei Petersen met een gemaakt lachje. 'En zeker niet in dit land.'
'Luister eens, sheriff,' reageerde Olsen boos. 'Dit is geen grap.'
'U hebt gelijk, juffrouw.' Todd zette zijn hoed af en streek een hand door zijn haar. 'En ik weet één ding... Het lijkt erop dat we allemaal op weg zijn naar de rechtszaal.'

10

De bulk van de zaken in de rechtbank van rechter Murray Hazan bestond uit kleine criminaliteit in provincieplaatsen, maar hij was de zittende rechter in Monroe, zodat Lovell en Olsen gedwongen waren de zaak voor hem te brengen. De rechter voelde wel voor het voorstel van Don Fontana dat de zittingen besloten en informeel zouden zijn en hij ging er ook mee akkoord dat de deskundigen in het onderwerp, en niet de advocaten, hun zaak bepleitten.
Paula Olsen maakte een zeer beheerste en weloverwogen indruk bij haar pleidooi; zo onderkoeld had Lovell haar nog nooit gezien. Ondanks haar ingehouden presentatie was haar betoog sterk, weldoordacht, samenhangend en overtuigend.
'Dokter Lovell's standpunt lijkt te zijn dat de natuurlijke omgeving van deze vrouw een primitieve hut midden in het bos is.' Olsen pauzeerde even en keek over haar schouder naar Jerry Lovell, hem uitdagend. 'Om het maar ronduit te zeggen: hij denkt dat ze Bambi is. Haar moeder is zojuist gestorven en hij moet haar beschermen tegen de wrede jagers.'
Lovell ademde verontwaardigd luid uit en keek opzij. Hij wist dat Olsen niet de waarheid vertelde, maar hij moest voor zichzelf toegeven dat ze haar zaak goed bepleitte.
Rechter Hazan glimlachte welwillend alsof hij zijn gevoelens wilde bevestigen en knikte haar toe verder te gaan.
'Ik neem een ander standpunt in,' zei ze ferm. 'Ik zie een volwassen vrouw die van haar halve leven beroofd is. Ik zie niet in waarom ze als een huisdier in het bos vastgehouden moet worden om de sentimentele dromen van een hippie van middelbare leeftijd uit te voeren.'
Zelfs Don Fontana lachte, maar Jerry Lovell voelde zijn wangen rood worden. Haar woorden staken, niet alleen omdat hij in verlegenheid gebracht was, maar omdat hij ergens in zijn hart wel degelijk twijfelde aan zijn eigen motieven. Was zijn betrokkenheid voortgekomen uit een romantische fantasie of uit oprecht

verlangen Nell te beschermen tegen de infiltratie van de buitenwereld?
'Goed,' zei rechter Hazan, nog nagrinnikend. 'U hebt uw zaak beslist krachtig bepleit, mevrouw Olsen. De heer Lovell?'
Jerry sprong op. 'Ja, edelachtbare?'
'Waarom vertelt u uw verhaal niet?'
'Dank u.' Lovell zweeg even om zijn aantekeningen te raadplegen. Waar Paula Olsen ingehouden had gepleit, was hij emotioneler, vuriger.
'Nell is niet de eerste in haar soort die gevonden wordt,' zei hij. 'Zo was er de Duitse wolfsjongen. De Ierse schaapsjongen. Kaspar Hauser. Het Salzburger zeugmeisje. Het Indiase panterkind. En de beroemdste van allen, Victor, het *enfant sauvage* van Aveyron.'
Mocht rechter Hazan over een of meer van deze beroemde casus gehoord hebben, dan liet hij daar niets van blijken.
'Dichter bij huis,' zei Lovell, 'was er Edith uit Ohio, en Genie, het kastkind van Temple City in Californië...'
Nu was Paula Olsen op haar beurt verrast. Het was duidelijk dat Lovell zijn huiswerk gedaan had.
'En al deze gevallen hebben één ding gemeen,' ging hij verder. 'Of het nu in het achttiende-eeuwse Europa, in het Verre Oosten of in het hier en nu... In alle gevallen werden hun levens vernietigd. Vernietigd door artsen en wetenschappers die beweerden hen te helpen. We kunnen niet toestaan dat dat hier weer gebeurt. We kunnen niet stil blijven zitten en toestaan dat ze van Nell een proefkonijn maken.'
Er kwam een eind aan de zelfbeheersing van Olsen. Ze stond op en schreeuwde: 'Als ze ooit uit die hut komt, dan zal ze vaardigheden nodig hebben die ze momenteel niet bezit.'
'Hoe weet u dat ze die hut uit wil?' kaatste Lovell terug. 'Edelachtbare, Nell is volstrekt gelukkig in haar omgeving. Ze wil er niet uitgesleept worden. Ze heeft het in haar eentje goed genoeg naar haar zin.'
'Ze zit in een gevangenis,' zei Olsen kwaad. 'Hebt u er dan geen enkel belang bij haar vrij te laten?'
'Misschien kijkt zij anders tegen vrijheid aan. Misschien wil ze niet vrij zijn. Niet op uw voorwaarden in elk geval.'

'Jezus!' Paula Olsen draaide zich om, boos op zichzelf omdat ze de beheersing over haar betoog had verloren.
Rechter Hazan probeerde beide zijden te kalmeren. 'Goed, goed,' zei hij. 'Ik denk dat ik mij een beeld heb gevormd. Er lijken aan beide zijden heel redelijke argumenten te bestaan...' De rechter glimlachte wat en tuurde over zijn bril. 'En niet te vergeten een zekere hartstocht...'
'Edelachtbare...'
Lovell begon weer te spreken, maar Don Fontana legde een hand op zijn schouder om hem ervan te weerhouden. 'Nu is de beurt aan de rechter, Jerry,' fluisterde hij.
Rechter Hazan zweeg een moment voor hij verder ging. 'Ik stel mijn beslissing drie maanden uit,' zei hij. 'En deze tijd dient gebruikt te worden voor observatie en beoordeling.' Hij keek van Olsen naar Lovell. 'Ik hoop dat de rechtbank aan het eind van deze periode beter een oordeel kan vormen.'

Aangezien er geen duidelijke winnaar werd aangewezen, beviel de oplossing van rechter Hazan noch Jerry Lovell noch Paula Olsen. Toch leek het een paar dagen lang dat Lovell de strijd op punten had gewonnen: Paula Olsen was de rechtszaal uitgelopen en zonder een woord te zeggen weggereden in de richting van Route 2, de weg die naar Seattle leidde.
Fontana en Lovell keken toe hoe ze wegreed. Ze wachtten zwijgend tot de achterlichten van haar auto om de hoek verdwenen waren voordat ze wat zeiden, alsof ze bang waren dat ze hen kon horen.
'Denk je dat dat het laatste is wat we van haar zien?' vroeg Fontana.
Lovell schudde zijn hoofd. 'Ik weet het niet. Ik hoop het.'
'Ze leek nogal opgefokt.'
'Ik krijg het gevoel dat ze graag haar zin krijgt.'
Fontana haalde zijn schouders op. 'Jij kent haar beter dan ik. Wat ga je nu doen?'
'Ik ga een kampeerbusje kopen,' zei Lovell.

Lovell had zijn nieuwe kampeerbus onopvallend tussen twee bomen bij de rand van het meer neergezet. Zijn enige concessie

aan comfort was een canvas zonnedak dat hij ernaast had opgehangen. Nell leek niet te protesteren tegen de komst van haar nieuwe buurman en het grootste deel van de ochtend bleef het stil op het terrein. Alleen de lichte zomerbries van het meer zorgde voor enig geluid en beweging. Maar rond het middaguur hoorde Lovell een vreemd geluid, dat eerst zwak was, maar snel luider werd. Het duurde een paar minuten voor hij het kon thuisbrengen. Het was het lage geronk van een buitenboordmotor.
Lovell hield een hand boven zijn ogen tegen de zon en keek naar het meer waar hij tot zijn grote verrassing een rechthoekige woonboot door de golfjes zag glijden. Het lelijke vaartuig voer op het open terrein af en hij twijfelde er niet aan wie er aan het roer stond.
'Niet te geloven,' zei Lovell, langzaam zijn hoofd schuddend. 'Dit is niet echt.'
Er leek geen eind te komen aan het vernuft van Paula Olsen. Ze manoeuvreerde de woonboot vakkundig naar een aanlegpunt niet ver van de steiger en stopte de motoren. Even later kwam ze tevoorschijn uit de kajuit, gooide een anker van de achtersteven en liep naar voren met een touw. Ze sprong ermee in het ondiepe water, waadde naar de oever en maakte het touw vast aan de stam van een stevige denneboom. Ze liet een loopplank zakken van de boeg en draaide zich naar Lovell toe. 'Goedemorgen.' Ze had een triomfantelijke glimlach op haar gezicht, hetgeen Lovell verschrikkelijk irriteerde.
'Mag ik aan boord komen?' vroeg hij, terwijl hij probeerde zijn ergernis te verbergen.
Olsen maakte een 'ga je gang'-gebaar en verdween naar binnen. Hij stapte naar binnen en keek rond.
'Ben je van plan hier te slapen?' vroeg Lovell. Hij had wel een reactie van Paula Olsen verwacht, maar dit sloeg alles.
'Dat is het plan.' Ze schoof een armvol kleren in een klerenkast. 'Ik zie dat jij dat ook doet.' Olsen wees met haar kin in de richting van zijn kampeerbusje.
Lovell liet zijn ogen over de dozen met boeken en levensmiddelen gaan. Hij moest toegeven dat Paula's uitrusting er heel wat comfortabeler uitzag dan zijn busje. Er was een complete keu-

ken, een tweepersoonsbed en een douchebox; de tafel in de eethoek was opgetuigd met haar hele elektronische uitrusting: fax, laptop, draadloze telefoon en een stereo-installatie met een stapel cd's.

'Weet je zeker dat je het redt, in zulke primitieve omstandigheden?'

'Ik red me wel,' zei ze.

'Ik zie geen airconditioning. Durf je wel zomaar de buitenlucht in te ademen?'

Paula wist dat ze uitgedaagd werd en weigerde toe te happen.

'Koele berglucht,' antwoordde ze opgewekt.

'En wie betaalt er voor dit drijvende paleis?'

'Mijn afdeling. Het project heeft een zeer hoge prioriteit.'

Dat geloof ik graag,' zei hij wrang. 'Hoe lang ben je van plan hier te blijven?'

'Drie maanden,' zei ze bereidwillig. 'Dat heeft de rechter toch gezegd.'

'Heb je geen privé-leven?'

'Dat kan wachten.' Ze bukte zich om een doos boeken op te pakken. 'Heb je zelf geen privé-leven?'

Ondanks alles sprong Lovell op om haar met de zware doos te helpen. 'Dit is het.' Hij trok een boek uit de doos. '*Autism and Ritual*,' las hij. 'Dit heeft allemaal met je proefschrift te maken, hè?' Hij gooide het boek terug. 'Ik had gelijk. Je proefschrift gaat over Nell.'

'Heb je daar moeite mee?' Ze keek hem strak aan met die uitdagende blik.

'Ja, toevallig wel. Nell is geen laboratoriumrat. Die hut is geen proefhok.'

Olsen hield op met het wegbergen van haar kleren en haalde diep adem in een poging zich te beheersen. 'Wil je helpen?' vroeg ze venijnig. 'Waarom hou je dan niet op te doen alsof je een jaloerse geliefde bent en werk je niet mee?'

Lovell fronste zijn voorhoofd en knarste met zijn tanden. Olsens priemende woorden kwamen wat al te hard aan. 'Meewerken? Dat hangt ervan af wat je van plan bent. Vertel me wat je van plan bent, dan zal ik je vertellen of ik de zaak zal verzieken.'

'Ik ben van plan zo weinig mogelijk te doen. Ik ben hier om te kijken, te luisteren en te leren. Geen interventie, geen aantasting. We laten haar met rust tot we de beste manier vinden om haar te helpen. Observatie en beoordeling, net zoals de rechter zei. Niets meer en niets minder.' Als de drie maanden voorbij waren, was Paula van plan een verslag te presenteren dat zo overtuigend was dat rechter Hazan geen andere mogelijkheid zou hebben dan de voogdij over Nell aan haar en de psychiatrische afdeling van het Algemeen Ziekenhuis in Seattle te verlenen.

'Net zoiets als vogeltjes kijken?' zei Lovell.

Olsen knikte en haar ogen ontmoetten de zijne. 'Zeker. Net als vogeltjes kijken...'

Lovell probeerde als een inbreker Nell's hut in te sluipen. Hij bewoog zich zo stil mogelijk en liep voetje voor voetje over de veranda het huis in. De deur naar de slaapkamer stond op een kier en hij kon zien dat ze op bed lag te slapen.

Langzaam liet hij zich op de grond zakken, bang dat het kraken van zijn gewrichten haar wakker zou maken, en haalde een kleine cassetterecorder uit zijn zak. Hij duwde het apparaat zo ver als hij durfde de kamer in, zette het aan en wachtte. Hij bleef doodstil zitten wachten terwijl het steeds donkerder werd.

Na een tijdje begon Nell te dreinen, maar haar ogen bleven gesloten. Er kwam een zacht gehuil, een geluid dat het midden hield tussen gejammer en geweeklaag, uit de slaapkamer. '*Ajieh.. Ajieh...*'

Het geluid klonk zo klagend en zo droef dat Lovell medelijden met haar kreeg.

Opeens, zonder waarschuwing, stopte het gejammer en nam een andere, sussender stem het over. '*Nunie hui'. Missa, dibbe missa, nunie hui'...*'

De dreinende, melancholieke stem kwam terug. '*Nei tata. Nei tata-hui. Nei, nei, wees susse, dibbetje. Missa dibbetje, sussene, sussene.*'

De tweede stem was zo zachtaardig, zo liefhebbend dat het klonk alsof er twee verschillende mensen in de slaapkamer waren. Er kwamen tal van vragen bij Lovell op.

Daarop werd Nell's stem ritmischer en werden de woorden een lied, een zachte stroom woorden in cadans. '*Sussene dokies, sussene*

pokies, sussene siet, sussene bang. Sussene kein, sussene wek. Sussene alo'-lek...'
Toen was het stil.

Lovell bracht zijn bandopname naar Olsen en gaf die als een zoenoffer aan haar.
'Ik denk dat je dit wel interessant zult vinden,' zei hij. Het mocht dan wel een zoenoffer zijn, toch kon hij niet verbergen dat zijn stem enigszins zelfvoldaan klonk, alsof hij haar een slag voor was geweest: het boertje van buut'n dat de slimme professor op haar eigen terrein had verslagen.
Olsen luisterde naar de band en was in het geheim zeker onder de indruk, maar haar uiterlijke reactie was bepaald niet zoals hij verwacht had. Verrukking, verbazing, verwondering, treurig toegeven dat ze afgetroefd was; hij was op alles voorbereid, maar hij werd volstrekt verrast door de venijnige woede van Paula Olsen.
'Waar denk je dat je in godsnaam mee bezig bent?' schreeuwde Paula luid. 'Hoe durf je in te breken in haar privé-ruimte?'
Hij was even sprakeloos, maar wist zich te herstellen. 'Wat is er aan de hand? Jaloers?'
Olsen schudde in afschuw haar hoofd. 'Jezus, ik dacht dat we dit allemaal gehad hadden. Misschien interesseert het je geen bal wat ik met haar probeer te bereiken, maar kun je niet wat respect tonen voor Nell?'
'Ze is geen zeldzaam vogeltje,' zei hij bits. 'Ze is een mens. Luister...' Hij zette de cassetterecorder aan. '*Nei nei, wees susse, dibbetje. Missa dibbetje, sussene, sussene...*'
Nell's stem klonk blikkerig en iel in de goedkope luidspreker, maar de emotie van de woorden was onmiskenbaar.
'Ik wil haar leren kennen,' zei Lovell ernstig. 'Ik wil haar taal leren.'
Ze moest ervoor vechten, maar Paula Olsen dwong zichzelf rustig te worden. Kwaadheid had geen effect op de koppigheid van Lovell. Misschien was het tijd om het met vriendelijke overreding te proberen.
'Goed... Goed... Luister naar mij. Dit is geen spelletje.'
'Dat weet ik.'

'Maar heb je enig idee hoe ongebruikelijk dit is? Mensen vinden niet zomaar privé-talen uit. De analyse van taal is een zeer gespecialiseerd terrein waar jij niets van afweet.'
'Hoe weet je dat?'
Paula moest bijna lachen. 'Omdat ìk er niets van afweet.'
Lovell wuifde haar onfeilbare logica weg. 'Doet er ook niet toe. Ik wil haar taal niet analyseren. Ik wil tegen haar praten.'
'Maar waarom? Waarom wil je tegen haar praten?'
'Omdat ik haar aardig vind,' zei Lovell eenvoudig.
'Vind je haar aardig? Geweldig. Ik vind haar ook aardig. Maar we moeten hierbij professioneel blijven.'
Lovell knikte langzaam, alsof hij de waarheid eindelijk onder ogen ging zien. 'O, ik snap het... we zijn professionals, dus dat betekent dat we verondersteld worden ons niet betrokken te voelen bij patiënten, hè?'
Paula knikte. 'Dat klopt.'
'Nou, dat vind ik gezwets, Olsen. Je bent bij Nell betrokken en zij bij jou, of je het leuk vindt of niet.'
'Je bent onmogelijk,' ze zei, terwijl ze zich omdraaide en naar de woonboot terugliep. Haar borst ging op en neer en haar wangen waren rood alsof de waarheid van zijn woorden haar recht in het gezicht getroffen had, als een klap.

II

De lange werkdag van dr. Amy Blanchard zat er net op – ze was de praktijk aan het afsluiten en wilde net vertrekken – toen Lovell zijn jeep op zijn vaste parkeerplaats voor de praktijk zette. Dr. Blanchard keek niet blij.

Lovell sprong uit de wagen met opgeheven handen, alsof ze een geweer op hem gericht hield. 'Het spijt me, het spijt me. Je hoeft niets te zeggen. Ik weet hoe je je voelt.'

'Echt?' zei Blanchard nors. 'Hoe voel ik me dan?'

'Je wilt me vermoorden, hè?'

Blanchard schudde haar hoofd. 'Fout. Dood heb ik niets aan je, Jerry. Ik heb natuurlijk ook levend niet veel aan je, tenminste de laatste dagen niet.'

Jerry Lovell deinsde terug. Zijn partner zag er afgetobd uit en haar stem klonk vermoeid. Ze was uitgeput door de inspanningen omdat ze naast haar eigen patiënten ook de zijne moest behandelen. 'Wacht tot je gehoord hebt wat ik ga zeggen. Ik wil drie maanden verlof.'

Amy leek in elkaar te zakken, alsof dit een nieuwe last op haar schouders was. 'Drie maanden! Jerry, ik kan niet...'

'Ik zorg voor een plaatsvervanger. Ik zal geen cent honorarium opnemen. Alles wat je wilt, Amy. Maar geef me alsjeblieft die drie maanden.'

Amy Blanchard keek hem strak aan, alsof ze probeerde door zijn ogen heen zijn gedachten te lezen. 'Waarom is ze zo belangrijk voor je?'

'Ze heeft me nodig,' zei Lovell terwijl hij hulpeloos zijn schouders ophaalde. 'Ik kan haar niet alleen laten met die psychische vivisectors.'

'En wat gebeurt er na drie maanden?' vroeg Amy. 'Wat dan? Ga je jezelf dan aanstellen als levenslange bewaker? Dit kan nog jaren doorgaan.'

'Jaren weet ik niet... Laten we eerst kijken wat er in negentig dagen gebeurt.' Hij draaide met zijn voet in het straatstof. 'Ik zou

het niet vragen als ik niet zou denken dat het belangrijk is. Ik kan haar een leven geven, Amy.'
'Weet je dat zeker?'
'Jawel.' In werkelijkheid werd Lovell geplaagd door twijfels aan zichzelf; hij wist niet zeker of hij iets voor Nell kon doen. Maar hij was vastbesloten om haar uit inrichtingen weg te houden, weg van gegluur en gesnuffel. Nell mocht nooit een case-study of een onderwerp van nieuwsgierigheid worden.
'O, Jerry...' zei ze, terwijl ze droevig haar hoofd schudde. 'Ik denk dat als het belangrijk voor je is... ' Ze haalde haar schouders op en lachte weemoedig. 'Wat heb ik voor keus?'

Nell stond doodstil in het donker te turen, als een schim achter de oplichtende vitrage. Ze keek naar de bomen en het meer. Haar ogen tuurden in de nacht, alsof ze naar iets keek dat niemand anders zien kon.
Ze begon te neuriën, uit haar keel kwam een zacht gebrom dat de lucht vulde. Nell voelde zichzelf wegsmelten, verdwijnen in het geluid en haar gedachten. Langzaam verdween Nell en werd haar plaats ingenomen door de tweelingzusjes met de ernstige bleke gezichtjes, wier neuriën een woordeloze dialoog was, een ketting die hen verbond, alsof ze de plaats gevonden hadden waarin ze één persoon werden...

De rode bal van de opkomende zon steeg op achter de zilveren schijf van het meer, waarbij lange glinsterlinten van licht in het water werden gereflecteerd. Er klonk een zacht geklater, niet meer geluid dan een vis zou maken, en Paula Olsen kwam aan het oppervlak, zich tegelijkertijd op haar rug draaiend. Terwijl ze zwom keek ze recht in de stille blauwe lucht. Paula, die goed kon zwemmen, maakte nauwelijks een rimpeling in het water toen ze erdoorheen gleed op weg naar de oever.
Het koude water verfriste haar vermoeide lichaam en geest. Ze had de vorige avond tot laat zitten lezen en denken om te proberen het raadsel dat Nell was te ontcijferen.
Ze paste in geen enkel profiel van wilde kinderen en haar ontwikkeling leek een eigen, unieke koers gevolgd te hebben. Alle wilde kinderen die waren bestudeerd, waren opgesloten ge-

weest en in de meeste gevallen letterlijk in hun bewegingsvrijheid beperkt. Ze gaven blijk van geestelijke achterstand en waren het slachtoffer van diverse vormen van lichamelijk, geestelijk en seksueel misbruik. Uit een vluchtig onderzoek van Nell was niet gebleken dat ze misbruikt was en het bloedonderzoek had een prenatale aandoening of een slopende kinderziekte uitgesloten. Een stofwisselingsziekte leek eveneens niet tot de mogelijkheden te behoren.
Olsen zwom met lange, soepele slagen. Deze paar minuten in het koude water zouden vandaag haar enige ontspanning vormen. Ze was zich er maar al te goed van bewust dat haar tijd beperkt was, dat drie maanden in een flits voorbij zouden gaan, terwijl ze uit ervaring wist dat een diepgaande case-study jaren in beslag kon nemen. Nu moest ze op het nulpunt beginnen en in een heel korte tijd pionierswerk verrichten bij een uniek geval. Dat was zelfs in de allergunstigste omstandigheden al een moeilijke taak. Maar nu zat ze diep in de vrije natuur zonder een geschikt laboratorium of een goede bibliotheek in de buurt, zonder oudere collega's die een deskundige mening of oordeel konden geven. En daar kwam nog bij dat ze niet te werk kon gaan zoals haar goeddunkte. Ze had Jerry Lovell.
Toen Paula haar hoofd boven water stak, zag ze een glimp van Lovell's jeep die het open terrein op reed. Ze verhoogde haar tempo en zwom uit alle macht naar de oever. Ze trok zich uit het water, schudde haar haren uit en liep snel naar de woonboot.
Lovell stapte uit zijn jeep en liep in de richting van zijn busje, maar bleef plotseling stilstaan met zijn blik op de hut. Midden over het veld hing een dikke kabel die in de laaghangende takken van de bomen was opgehangen. De kabel liep van Nell's hut direct naar de woonboot. Jerry volgde de kabel met zijn ogen, draaide zich om en liep met grote passen naar de boot. Zelfs van een afstand kon Olsen zien dat hij kwaad was.
Toen ze bij haar woonboot kwam, was Lovell al naar binnen gegaan en zat hij gefascineerd maar met een blik vol afschuw te kijken naar een videomonitor op de eettafel. Op het scherm was een groothoekopname van een slaapkamer zichtbaar, Nell's slaapkamer, evenals Nell zelf die in het zwakke gelige licht op bed lag te slapen. Gezien de hoek van de opname leek de came-

ra te zijn bevestigd aan de dakbalken, de plek waar Lovell Nell ontdekt had.
Het zwakke licht verzachtte de details van de opname, maar het was overduidelijk dat hier van een inbreuk sprake was.
'Je hebt tegen mij niets gezegd over videocamera's,' zei hij toen Olsen binnenkwam. Hij was kwaad, maar dat verhinderde hem niet te constateren dat Paula in niet veel meer dan een T-shirt had gezwommen. De drijfnatte katoen bleef aan haar huid plakken en omlijnde een fraai figuur.
'Dit is veel minder indringend dan wanneer jij of ik daar bij haar zijn,' zei ze. 'En als je het gevoel krijgt een voyeur te zijn...' Ze trok nonchalant haar schouders op, pakte een handdoek uit een kast en wikkelde die om zich heen. 'Dat is iets wat je voor jezelf uit moet maken.'
'Daar gaat het niet om,' zei hij fel. 'We hadden een overeenkomst. Je hebt het niet aan mij gevraagd.'
'Goed,' zei ze. 'Dan vraag ik het nu.'
Hij tuurde even naar het beeld op het scherm. Nell had zich nauwelijks bewogen onder de dekens en voor de eerste keer zag hij haar volledig op haar gemak, zonder haar afwerende houding. Hij moest toegeven dat Olsen een verbazingwekkende prestatie had geleverd door de camera in Nell's huis te bevestigen zonder dat ze het gemerkt had.
'Heb je die vannacht opgehangen?'
Olsen knikte. 'Ze is geen moment wakker geworden.'
'Hoe heb je dat in godsnaam voor elkaar gekregen?'
'Ik deed het heel stil,' zei ze, waarbij ze weer een aanmatigend lachje liet zien. 'Ik had zelfs geen boormachine nodig. Ik heb isolatieband en klemmen gebruikt.'
'Allemaal dingen die je op de universiteit leert,' zei Lovell, terwijl hij zijn aandacht weer op het scherm richtte.
Nell werd net wakker. Ze opende knipperend haar ogen en ging zitten. Ze stak haar linkerhand uit en streek langs de spiegel naast het bed, haar eigen beeld liefkozend.
'Mag ik me aankleden?' vroeg Olsen.
Lovell kon zijn ogen niet van het scherm losmaken. 'Ja. Natuurlijk. Momentje.'
'Nú.'

'Ja, ja,' zei Lovell, die met tegenzin naar de deur liep. Hij bleef nog even staan om het cassettebandje te pakken dat hij de dag tevoren had gemaakt. 'Ik leen dit even...'

Lovell bleef de rest van de ochtend over het open terrein heen en weer lopen met de koptelefoon van een walkman op zijn hoofd. Steeds weer speelde hij de band met Nell's stem af.

Al luisterende sprak hij de woorden mee, als een acteur die zijn tekst leert. Het belangrijkste deel van de oefening – en ook het moeilijkste – was de toon van Nell's stem te treffen, de sleutel tot de zachte troost die de woorden gaven. De toon van Nell's stem was veel hoger dan de zijne, en daarom bracht hij het timbre omlaag tot hij bijna fluisterde. Bij het herhalen van de woorden begon de bedoeling ervan, zij het niet de exacte bedoeling, naar boven te komen.

'*Nei, nei, wees sussene, dibbetje. Missa dibbetje, sussene, sussene,*' mompelde hij. Hij had het effect van het woord '*dibbetje*' op Nell gezien. Dat was direct en diepgaand, zo sterk dat een enkel woord haar diep gewortelde instincten van angst, vlucht en zelfbehoud had overvleugeld. Lovell stelde zich voor dat *dibbetje* een liefkozende naam moest zijn geweest die door Violet Kellty gebruikt werd, een woord dat Nell in de wieg gehoord moest hebben, een woord dat liefde en geborgenheid betekende.

Hij spoelde de band een stukje terug en speelde de tweede helft van het vers opnieuw af. Nell's stem leek zijn hoofd te vullen.

'*Sussene pokies, sussene dokies... sussene siet, sussene bang. Sussene kein, sussene wek. Sussene alo'lek...*'

'*Susse*' en '*sussene*' waren duidelijk kalmerende woorden, klanken die susten en vleiden. Het ritme was langzaam en rustig, gevuld met een troostende kalmte. Hij had geen idee van de betekenis van de andere woorden. Maar die zou hij na verloop van tijd ook wel vinden.

12

Toen Jerry Lovell de versleten trap naar de hut op liep, hoorde hij een verschrikte kreet van Nell, gevolgd door een hevig gekrabbel, alsof ze wegvluchtte in het huis.
Hij was zich ervan bewust dat elke voetstap Nell angst aanjoeg en hij vond het heel vervelend haar bang te maken, maar hij vermande zich en liep de keuken binnen. Hij tuurde de slaapkamer in. Nell had zich teruggetrokken in haar hoek en zat hem met ogen vol angst ineengedoken en gespannen aan te kijken.
Heel langzaam ging Lovell op zijn knieën zitten, terwijl hij zijn handen met geopende palmen uitstrekte.
'Je hoeft nergens bang voor te zijn,' zei hij met zachte, kalme stem. 'Wees alsjeblieft niet bang.' Hij schoof langzaam naar haar toe, niet zo dichtbij dat hij bedreigend werd of haar te dicht op de huid kon zitten, maar wel zo dichtbij dat ze hem voor het eerst goed kon bekijken. Maar haar gezicht bleef uitdrukkingsloos en onbegrijpend.
'Mijn naam is Jerry,' zei hij. 'Jerry.' Hij stak een vinger op en wees naar haar. 'Nell.' Daarop wees hij naar zichzelf. 'Jerry.'
Nell's ademhaling werd sneller en oppervlakkiger en haar borst ging op en neer. Haar ogen schoten heen en weer en ze begon te janken terwijl ze met haar armen rondzwaaide en spastische bewegingen maakte. Lovell kon merken dat ze bijna weer begon te gillen en hij had geen andere keus dan zijn troefkaart uit te spelen.
'*Nei, nei,*' zei hij kalm. '*Wees sussene dibbetje.*'
Deze woorden hadden een dramatisch effect op Nell. Er trok een verbaasde blik over haar gezicht. Hoogst verbaasde knipperde ze snel met haar ogen en keek van de ene naar de andere kant, alsof de stem van een andere plek in de kamer was gekomen. Ze keek hem niet aan.
'*Sussene, kei sussene wek. Sussene alo'lek.*'
Langzaam maar zeker verdwenen haar nerveuze bewegingen en werd haar ademhaling langzamer. Ze leek zich wat meer op te

richten en ze keek naar de grond. Het was bijna alsof zijn woorden haar betoverd hadden.
Lovell zette door. '*Nei, nei wees sussene, dibbetje. Missa dibbetje...*'
Nell sloeg haar ogen naar hem op. Ze waren gevuld met tranen en er lag een smekende blik in. Ze bevatten een stille smeekbede; ze vroeg hem om iets, iets dat hij niet kon doorgronden. Hij voelde een beklemmende frustratie opkomen. Ze waren erin geslaagd contact te krijgen, maar hij kon niet verder. Hij wilde het uitschreeuwen en haar vastgrijpen, hij wilde haar smeken tegen hem te spreken, hem te vertellen wàt ze dan wilde.
Lovell haalde diep adem en probeerde zijn kalmte te bewaren. Nell's gedrag zou een weerspiegeling zijn van het zijne. Als hij rustig zou blijven, zou zij dat ook blijven.
'*Missa dibbetje*,' mompelde hij.
Hij had het fout. Haar kalmte verdween en ze sprong op, alsof hij haar met de volle kracht van zijn vuist getroffen had. Ze was in paniek, dat was overduidelijk. Ze kroop naar de spiegel, raakte het glas aan en probeerde haar gezicht dat erin werd weerspiegeld te strelen.
'*Mi'ie... mi'ie...*' huilde ze.
De woordjes kwamen recht uit haar hart en Lovell had met haar te doen. Ze begon ritmisch heen en weer te bewegen, waarbij ze haar handen uitstrekte naar haar eigen spiegelbeeld.
'*Kei'en mei en mei'en kei...*' fluisterde ze.
Ze drukte haar hele hand tegen de spiegel en steunde met haar voorhoofd tegen het glas alsof ze het wilde laten afkoelen. In haar geest week het glas terug, alsof het het oppervlak was van een heldere, rimpelloze vijver. Een moment lang waren de vingers van twee handen met elkaar verbonden. Nell en haar tweelingzus knielden op de grond terwijl hun handen in elkaar grepen en hun voorhoofden elkaar raakten.
'*Mi'ie*,' zei Nell. Ze haalde een vinger over haar gezicht en liefkoosde haar eigen wang. '*Mi'ie...*'

'Ze heeft een objectief zelf en een subjectief zelf,' zei Olsen. 'Ik heb nog nooit zo'n volmaakte projectie gezien.'
'Inderdaad,' zei professor Paley.
Terwijl Paula Olsen in Richfield haar veldwerk had verricht, was

Paley druk bezig geweest in Seattle. Hij had twee andere deskundigen aangetrokken: Harry Goppel, een gedragswetenschapper, en Jean Malinowski, een expert op het gebied van jeugdtrauma's. Goppel was een door de wol geverfde behaviorist, een aanhanger van de school in de psychologie die het objectieve bewijs van gedrag als de enige basis van het psychologische karakter beschouwt. Eenvoudig gezegd: Nell was zoals ze was omdat ze was opgevoed om zo te zijn.

Jean Malinowski had te veel van de donkere kant van het leven gezien, had te veel misbruikte en mishandelde kinderen behandeld om van alles even overtuigd te zijn als haar collega, met name op het gebied van de ontwikkeling van kinderen. Haar taak in het team was om te onderzoeken of er bij Nell verborgen tekenen te vinden waren van traumatische gebeurtenissen uit haar verleden die haar gedrag als volwassene zouden kunnen beïnvloeden.

De vier zaten bijeen in een schemerige vergaderruimte in het ziekenhuis van Seattle om te luisteren naar Olsens verslag en te kijken naar een deel van de urenlange video-opnames die ze had gemaakt. 'Nell's hoogtepunten op film' had Lovell het genoemd.

Op de video was te zien hoe Nell de spiegel aanraakte. '*Mi'ie*,' zei ze. '*Mi'ie*.' Daarop raakte ze haar wang aan.

Olsen gebruikte een afstandsbediening om de band terug te spoelen. 'Ziet u dit? Objectieve zelf.' Nell raakte het beeld in de spiegel aan. Olsen schoot naar voren. 'Subjectieve zelf.'

'Dit is "mij" in de spiegel,' zei Olsen.

'Dat is vreemd,' zei Goppel. 'Vindt u niet?'

Olsen knikte. 'Ja. Je zou zeggen dat het andersom was. Maar dat is "mij" daarbuiten. Het is bijna alsof ze zichzelf verplaatst.'

Nell's gezicht stond doodstil op het scherm. Goppel boog zich voorover om goed naar haar te kijken. 'Ze lijkt te huilen.'

'Dat klopt,' zei Olsen. 'Zeer waarschijnlijk een reactie op dr. Lovell die in haar eigen taal tegen haar spreekt. Tranen kunnen dan een volstrekt natuurlijke reactie zijn.'

'Haar eigen taal?' vroeg Goppel. 'Ze heeft haar eigen taal ontwikkeld?'

'Het was een privé-taal. Ze sprak die met haar moeder,' zei Ol-

sen. 'Haar moeder is pas gestorven en plotseling blijkt een vreemde een taal te spreken die alleen zij kent. Tranen zijn op dit moment volstrekt verklaarbaar.'
Goppel schudde zijn hoofd, alsof hij niet helemaal zeker wist wat hij had gehoord. 'Heeft haar eigen taal ontwikkeld?'
Paley glimlachte. 'Laat Harry eens wat "Nell's" zien, Paula.'
'Goed.' Olsen raadpleegde haar aantekeningen en spoelde de band terug.
Jean Malinowski raakte haar eigen wang aan, een onhandige imitatie van Nell. 'Wat was dit voor gebaar?' vroeg ze.
'Moeilijk te zeggen.' Olsen trok een fronsende blik en keek naar haar aantekeningen. 'Het is een karakteristiek gebaar. Het kan een manier van wijzen zijn. Nell maakte het toen ze "mij" aanwees.' Ze zette de band stil en het beeld verdween.
'Voor we haar horen spreken, moet u zich realiseren dat de spraakvervorming misleidend is. De moeder leed aan dysfasie. Maar wat de herkomst van de karakteristieke woorden betreft...' Ze haalde haar schouders op en startte de band. 'Dat mag u me vertellen.'
Toen het beeld verscheen, konden ze zien dat Nell met haar knieën tegen haar borst op bed zat, terwijl haar voeten over de rand van het matras staken. Haar armen hield ze om haar dunne benen, zoals de banden rond een vat de duigen bij elkaar houden. Ze bewoog langzaam heen en weer en sprak zacht tegen zichzelf. Haar stem klonk ingehouden, maar de woorden waren dringend, alsof ze zichzelf van iets wilde overtuigen.
'*Uh son'eke nasie, uh fo'k lade' mit onrektikeit,*' mompelde ze. '*Iek sie uh boo'dene...*'
Goppel en Malinowski keken gebiologeerd naar haar bewegingen en de geluiden van haar stem. Zelfs Paley en Olsen, die beiden de band al gezien hadden, leken gefascineerd.
Uiteindelijk nam Goppel het woord. 'Het is ongelooflijk.'
Nell's stem werd indringender. '*Sei hen de hee' ve'laan, de hei'ge Isa'els fesmaa...*'
Het beeld op het scherm bevatte veel sneeuw en was schokkerig, terwijl het geluid de holle klank had van een open microfoon, gefilterd door een blikkerige luidspreker, maar Nell hield hen met haar spraak in haar ban. De vier deskundigen probeerden elke lettergreep te verstaan en keken naar elke beweging.

'Zijn er transcripties van haar spraak?' vroeg Goppel.
'Ik heb mijn best gedaan, maar het is niet gemakkelijk precies weer te geven,' zei Olsen. 'Zoals u kunt horen zijn de opnames enigszins primitief.'
'Als het nodig is, kunnen we een ervaren taalkundige een nauwkeuriger transcriptie laten maken.' Paley keek naar zijn eigen aantekeningen. 'Het belangrijkste is ons nu sterk te maken voor de overdracht van de zorg. Als de juridische zaken eenmaal geregeld zijn, zal onze taak des te gemakkelijker zijn.'
De professor deed het voorkomen alsof de juridische kwesties niets meer dan futiele ongemakken waren. Paula Olsen leek sceptischer en wilde dat ze het vertrouwen van haar mentor kon delen.
'Is er geen mogelijkheid haar hierheen te brengen?' vroeg Malinowski. Ze lachte wat bedeesd naar Olsen. 'Paula, je hebt tot nu toe geweldig werk verricht, maar diepgaand onderzoek kan niet in het veld gedaan worden.'
Goppel was het hiermee eens. 'Dit is niet zozeer medische zorg als wel antropologie.'
Paula Olsen deed haar best haar ongenoegen te verbergen en haar stem niet boos te laten klinken, maar ze hield zich ook niet in en attaqueerde Goppel rechtstreeks. 'De rechtbank heeft bepaald dat ze niet uit haar huis gehaald mag worden. Zo eenvoudig ligt het. We zullen een nieuw verzoek doen als de drie maanden voorbij zijn, maar ondertussen zullen we moeten werken met wat we hebben.' Olsen keek van Malinowski naar Goppel. 'Ik heb er geen problemen mee daar te wonen. Je zou kunnen zeggen dat het bestuderen van Nell op haar thuisbasis juíst de plek is voor diepgaand onderzoek.'
'Daar ben ik het niet mee eens,' zei Malinowski snel.
'Dat is uw goed recht, dokter,' zei Olsen.
Paley probeerde de onenigheid snel te sussen. 'De rechtbank en Lovell vormen problemen die te zijnertijd bekeken zullen worden. Voorlopig zou ik zeggen: Paula, ga door met je goede werk.' Hij liet een warme lach zien, maar zijn woorden leken te suggereren dat ze er goed aan deed zich te realiseren dat ze het jongste lid van het team was.
'Lovell?' zei Goppel. 'Wie is Lovell?'

Paula draaide met haar ogen. 'Jerry Lovell is de plaatselijke arts die zichzelf heeft opgeworpen als de beschermer van Nell. Hij was degene die het proces aanspande.'
'Een plattelandsdokter? Wat doet hij? Is hij huisarts?' Hij lachte schamper. Olsen kreeg sterk het gevoel dat dr. Goppel niet veel respect had voor huisartsen. Specialisatie was de weg naar de top in de medische wereld.
'Zal ik je iets interessants vertellen?' zei Paley. 'Lovell is toevallig niet zomaar een plattelandsdokter.'
'O, nee?' zei Olsen. Op de een of andere manier verraste deze informatie haar minder dan te verwachten was.
'Nee. Drie jaar geleden was Jerome Lovell nog specialist op het gebied van de pediatrische oncologie in een kinderziekenhuis.'
'Bent u zijn gangen nagegaan?'
'Ik wil graag weten wie mijn vakmatige beslissingen in twijfel trekt,' zei Paley. 'Ik moet toegeven dat ik verrast was over zijn kwalificaties.'
'Wat zijn die dan?' vroeg Goppel.
'Interne Geneeskunde en Chirurgie in New York,' zei Paley, die oprecht onder de indruk leek. 'Gevolgd door een stage bij het Farber Institute in Boston... Niet slecht voor een plattelandsdokter.'
'Pediatrische oncologie,' zei Olsen. 'Dat verklaart een hoop met betrekking tot Nell.'
'Hoe bedoel je?' vroeg Malinowski.
'Ik vroeg hem of hij altijd zo betrokken raakte bij zijn patiënten. Hij zei: "Ik probeer het."' Olsen keek plotseling somber. 'Ik kan me geen betrokkener praktijk voorstellen dan kinderen en kanker.'
'Goed,' zei Paley, 'hij is er nu niet meer bij betrokken.' Hij sloeg zijn map dicht en stond op. Het was duidelijk dat hij de bijeenkomst wilde beëindigen.
'Wat is er gebeurd?' vroeg Olsen. 'Is hij weggelopen?'
Paley haalde zijn schouders op. 'Is hij weggelopen of kreeg hij een duwtje mee? Over een paar weken is er een rechtszitting. Laten we ervoor zorgen dat hij ons niet meer in de weg zit.'
Tot Paula's verrassing stond Al Paley erop met haar mee te lopen naar haar auto.

'Strikt tussen ons beiden Paula, wat gaan we met dokter Lovell doen?'
Paula haalde haar schouders op en grijnsde. 'Wat kan ik doen? Ik heb hem verteld niet de hut in te gaan. Ik heb hem verteld haar met rust te laten. Maar hij voelt zich betrokken en dus gaat hij naar binnen.'
'Je doet goed werk. Maar zorg er wel voor dat dit niet slecht voor ons afloopt. Daar is het te belangrijk voor.'
'Wat moet ik dan doen? Hem er aan zijn haren uitslepen?'
Paley bleef stilstaan en keek Paula recht in de ogen. 'Dokter Lovell denkt dat hij de enige vriend van Nell is, nietwaar? Haar beschermer tegen de duistere machten?'
'Ja, zoiets.'
Paley hervatte zijn pas. 'Ga dan voorzichtig met hem om, Paula. Mensen zoals hij zijn degenen die processen aanspannen.'
'Wat wilt u dan? Dat ik me terugtrek? Hem over Nell heen laten stampen?'
'Dat beweer ik niet... Probeer alleen een manier te vinden om met hem te werken, zorg dat je hem aan je zijde krijgt. Het duurt nog maar tien weken voor we naar de rechter gaan. Je kunt buitengewoon charmant zijn als je wilt.'
Paula barstte in lachen uit. 'Wilt u dat ik hem verleid? Alstublieft zeg!'

Zich er niet van bewust dat zijn verleden – en zijn toekomst – in een vergaderruimte vele kilometers verderop werd bediscussieerd, zat Jerry Lovell op de grond in de slaapkamer van Nell, opgetogen over de vooruitgang die hij met haar boekte. Ze aanvaardde nu zijn aanwezigheid, maar was nog altijd zo op haar hoede dat ze afstand bleef bewaren en niet dichter bij hem durfde te komen. Ze liep de kamer rond en stak steeds als ze langs de spiegel kwam haar arm uit om die te strelen. Ze keek Lovell nooit direct aan, maar keek vanuit haar ooghoek, zich bewust van al zijn bewegingen.
'Nell?' zei hij.
Er kwam geen antwoord. Hij probeerde het met de woorden die de laatste keer een reactie hadden opgeleverd. '*Missa dibbetje*,' zei hij. Nell zei niets, maar ze hield op met rondjes lopen in de ka-

mer, alsof ze wilde laten zien dat zijn woorden haar iets deden. Even later begon ze weer te lopen.
'Vind je het goed als ik praat?'
Hij nam aan dat haar zwijgen betekende dat ze toestemde.
'Goed...' Hij keek de kamer rond en nam de patronen van licht en donker in de hut in zich op. 'Ik vind het prettig hier,' zei hij. 'Het is hier rustig.'
Nell liep de kamer rond, terwijl Lovell in de hoek bleef staan. Hij sprak zacht en de woorden kwamen traag, alsof hij de weg aftastte, min of meer tegen zichzelf praatte.
'Weet je wat? Jij hebt het goed voor elkaar. Als je onder de mensen leeft, krijg je problemen. Eerst maken ze je nerveus en dan laten ze je stikken, nietwaar?'
'Ben je wel eens eenzaam, Nell?' Hij was moe en de Ierse ondertoon in zijn accent leek vanavond meer naar voren te komen.
Nell bleef zwijgen.
'Ik heb nooit broers of zusters gehad,' zei hij, alsof ze elk woord kon verstaan. 'Dat is erg ongebruikelijk voor een Iers gezin. Zeker, geloof dat maar... Er was een gezin dat naast ons woonde, de Connors, die hadden zeven kinderen. Zeven!' Hij grijnsde naar Nell, alsof hij haar uitdaagde te geloven dat een gezin zo groot kon zijn. 'Altijd gillen en schreeuwen. Plezier maken. En ik keek...' Hij zette zijn handen rond zijn gezicht. 'Ik keek maar door het raam.'
Hij ging nog verder terug in zijn geheugen, liet zijn verleden als een oude, korrelige film aan zich voorbij trekken. 'Ik herinner me dat ik eens thuis was en muziek hoorde. Een fanfare... Er was een optocht, weet je, die door de straat liep. En er renden kinderen voor ze uit. De fanfare speelde heel hard, weet je. Ik rende naar de voordeur, maar verder kwam ik niet... En toen kwam Jamie Connor de straat over rennen en die pakte mijn hand en trok me de straat op.'
Langzaam stond hij op en hij werd enthousiast nu de herinnering weer begon te leven. Nell staarde hem nu aan. 'De fanfare was aan het spelen. Jamie heeft mijn hand vast, en we doen' – Hij zwaaide zijn armen hoog op – 'ta-ra-ra-boem-di-ee! Ik marcheer over de straat. Een paar kinderen pakken mijn andere hand...' Hij zwaaide zijn andere arm hoog op. Beide armen ge-

bruikte hij nu, hij zwaaide ze omhoog in een overdreven marcheerbeweging. 'Ta-ra-ra-ra! Ta-roe-roe-ree! Vlak achter me. De trompetten en de trombones en de grote trom... Ik loop te marcheren, ik ben bij de andere kinderen... Boem-ba-ba, boem-baba... Weet je wat ik wil zeggen? Ik was niet alleen. We waren niet aan het praten, alleen...'
Hij zwaaide met zijn armen, met zijn lichaam, en op zijn gezicht stond de blijdschap van die zomerdag van zo lang geleden te lezen. Nell was opgehouden met rondlopen. Ze stond nu stil en staarde hem aan.
'*Enke'tje*,' zei ze zacht.
Zonder een spoor van angst of aarzeling liep ze op hem toe. Lovell bleef doodstil staan met zijn armen nog steeds opgeheven. Hij durfde geen vin te verroeren uit angst dat hij dit moment van concentratie verbrak.
'*Enke'tje komme liessa Nell*,' zei ze, hem aanstarend. '*Je'y enke'tje?*'
Hij begreep dat het een vraag was, maar alles wat hij kon doen was te proberen haar woorden na te zeggen. '*Je'y enke'tje*,' zei hij.
Haar reactie kwam even snel als onverwacht. Plotseling verscheen er een schitterende gouden lach op haar gezicht, die haar bleke gezicht deed oplichten. Nell's ogen straalden van geluk en een moment was Jerry gegrepen door haar plotselinge schoonheid.
Maar er was meer. Het was alsof er een barrière doorbroken was, alsof er een basis van vertrouwen gevormd was die een stroom woorden en gebaren voortbracht.
Nell sloeg haar vingers in elkaar en kneep ze dicht. '*Wan' uw maw wande' nie mette hee', sei...*' – haar stem veranderde plotseling, alsof ze een andere stem imiteerde – '*Nell. Nell nie hui', hui', onakowna maw bin f'esig, maw kanie liessa.*'
Haar ogen schoten over zijn gezicht en ze keek hem aan om te zien of hij het begreep. Het leek erop dat ze hem in haar wereld uitnodigde, hem iets verteld had dat van uitzonderlijk belang was voor haar en voor de manier waarop ze leefde.
'Nell...' zei hij, niet goed wetende hoe hij verder moest gaan. Wel was het hem duidelijk dat Nell sprak, communiceerde. Deze stroom woorden bewees dat ze een taal sprak, een taal die net zo complex en levend was als alle andere.

Als om dit te onderstrepen begon Nell weer te spreken, alsof ze duidelijk wilde maken of nog eens benadrukken wat ze al gezegd had. Ze streek zachtjes over haar wang, die tedere, karakteristieke liefkozing die evenzeer deel leek uit te maken van haar vocabulaire als haar hartstochtelijke woorden.

'Jo'kee? *Maw dan sek as'iek nieka, enja kom, enne Nell bin feliss, anna sussene, anna erna feliss. Reken?*' Weer keek ze hem vragend aan en weer vroeg ze een antwoord.

Hij kon niet anders dan gesterkt worden door haar plotselinge enthousiasme en blijk van vertrouwen.

'*Reken,*' zei hij, deze keer met nadruk.

'*Je'y enja?*'

Lovell knikte heftig. '*Jerry enke'tje.*'

Nell begon op handen en knieën naar hem toe te kruipen. Haar bewegingen waren onzeker en voorzichtig, maar toen ze stilhield stak ze haar rechterhand met de palm naar buiten naar hem uit. Het was hetzelfde gebaar dat hij haar in de spiegel had zien maken. Lovell stak zijn linkerhand op en legde deze tegen de hare. Ze zaten even doodstil – Lovell durfde nauwelijks adem te halen – en toen kromden hun vingers zich om elkaar, twee handen die als in gebed met elkaar verbonden waren.

'*Je'y liefi'e enke'tje, reken?*' fluisterde Nell.

Lovell knikte, omdat hij de bedoeling van haar woorden voelde.

'*Jerry liefi'e enke'tje.*'

13

Naast alle emotie en vreugde van zijn doorbraak die ochtend met Nell ontdekte Lovell tot zijn verrassing nog een andere, subtieler gevoel, namelijk het verlangen om Paula Olsen alles wat er gebeurd was te vertellen.

Hij wachtte tot ze terugkwam, waarbij zijn ongeduld steeds groter werd naarmate de uren verstreken. Hij liet zichzelf in de woonboot, vond de band van zijn ontmoeting en speelde deze steeds weer af tot hij elk woord, elk accent en elk gebaar in zich op had genomen. De band was zo boeiend dat hij zijn ongeduld en het verstrijken van de tijd vergat en niet hoorde dat Olsen haar auto het terrein op reed.

'Doe alsof je thuis bent,' zei ze. Lovell sprong op en draaide zich om. Olsen stond in de deuropening naar hem te lachen, verbaasd hem aan te treffen terwijl hij zo in beslag genomen werd door de beelden op het scherm.

'Je zult niet geloven wat er gebeurd is,' zei hij. De opwinding in zijn stem was duidelijk, maar opeens werd hij achterdochtig. 'Waar ben je geweest?'

'Mis je me?' vroeg ze. Olsen wilde niet vertellen dat ze overlegd had met de mensen die Jerry Lovell zonder twijfel als de vijand zou beschouwen. Ze merkte dat haar houding tegenover Lovell enige verandering ondergaan had. De neerbuigende en minachtende houding van de doctoren Paley, Goppel en Malinowski ten opzichte van Lovell had haar geërgerd, en ze was al evenzeer geïrriteerd door hun bevoogdende houding tegenover haarzelf. Verder had het bekend worden van het verleden van Lovell haar geïntrigeerd.

Lovell schudde het hoofd. 'Je hebt de doorbraak gemist, een grote sprong voorwaarts.'

'Laat zien.'

Lovell startte de band en trok zich achter in het woonvertrek terug om zwijgend toe te kijken hoe Olsen de band bekeek. Ze draaide hem twee keer voordat ze zich naar hem omdraaide met commentaar.

'Verbazingwekkend,' was alles wat ze zei.
'Ze heeft gesproken. Tegen mij.'
Olsen knikte. 'Dat klopt.'
'Steek je hand uit.'
Paula wist wat hij bedoelde en ze stak met de palm naar voren een hand uit, zoals Nell had gedaan. Lovell's palm kwam tegen de hare en hun vingers omstrengelden elkaar. 'Ik heb er niet om gevraagd,' zei Lovell. 'Zij.'
Paula trok haar hand weg. Ze werd nu toch een beetje jaloers. 'Ja, dat weet ik.'
'Je'y enke'tje.'
'Weet je wat dat betekent?'
'Nee.'
Paula Olsen spoelde de band terug en samen gingen ze er nog eens seconde voor seconde en beeldje voor beeldje doorheen. Ze stelde een woordenlijst samen door elke uitdrukking op te schrijven met daarbij wat volgens haar de mogelijke betekenissen waren.
'Het is onze taal,' zei ze. 'Daar ben ik nu vrij zeker van. Sommige dingen zijn tamelijk eenvoudig, zelfs als je rekening houdt met de spraakafwijking. *Tei* is tijd. *Sp'ee* is spreek. Ze laat de laatste medeklinkers weg.' Ze speelde een deel van de band op normale snelheid. De stem van Nell vulde de ruimte.
'As'ik dan ka, enja kom,' zei ze. Olsen drukte de pauzeknop in, daarmee het beeld van Nell op het scherm stilzettend. 'Zie je? Er komt maar één woord zuiver Nell's in voor.' ze speelde de band nog eens af.
'Nell's?' Lovell schudde zijn hoofd en lachte. 'Fantastisch, hè!'
'Ze wilde dat jij *enke'tje* was,' zei Olsen. 'Toen je akkoord ging *enke'tje* te zijn, stak ze haar hand uit.'
'Jerry enja,' zei Lovell. *'Jerry liefi'e enke'tje.'*
'Vriend? Denk je dat dat het zou kunnen zijn?'
Lovell haalde zijn schouders op. 'Zou kunnen... wat het ook is, het is voor haar een belangrijk idee. Het was de sleutel om verder contact te maken.'
'We zijn natuurlijk niet dichter bij het beantwoorden van de belangrijker vraag gekomen.'
'En die is?'

'Waar komen deze woorden vandaan? Taal groeit en ontwikkelt zich vanuit invloeden van buiten. Heb je enig idee hoe merkwaardig dat is, een privé-taal?'
'Een beetje. Ik heb er nooit echt over nagedacht.'
Olsen tuurde naar het beeld op het scherm en bekeek het moment van het handcontact. Olsen sprak zonder haar blik van het fascinerende beeld te halen.
'Ze vertrouwt je.' Ze keek deze keer meer naar Lovell dan naar Nell en was verrast over de kleine, vriendelijke gebaren van deze grote man, zijn invoelende, geruststellende stem. 'Je kunt goed met haar opschieten.'
Lovell was verrast. Een compliment van deze koele, kritische vrouw, dat was al heel wat. 'Wel heb je me nou! Ik heb kennelijk iets goed gedaan.'
'Klopt,' zei Olsen met een lachje. 'En je verdient een beloning. Wat dacht je van een biertje?'
'Jij kunt gedachten lezen.'
Ze liepen naar Lovell's busje en gingen op twee inklapbare tuinstoelen onder het zeildoek zitten. De lucht was nog warm en er stond weinig wind; de stralen van de ondergaande zon vormden waren lange oranje banen over het water. Het enige geluid was het zachte getjilp van insekten in het struikgewas.
Hij keek uit over het meer. 'Je moet toegeven dat dit geen slechte plek is om te wonen.'
'Zeg dat maar tegen Nell. Misschien komt ze naar buiten en neemt ze een duik in het meer.' Ze bood een van de koude blikjes aan. 'Biertje?'
Lovell nam het aan, maakte het open en nam een flinke teug. 'Ze gaat naar buiten. 's Nachts. Ze zwemt in het meer.'
Olsen leek verrast. 'Ze zwemt? Hoe weet je dat?'
'Ik heb haar gezien.'
'Dat heb je me nooit verteld.' De oude behoedzaamheid begon weer bezit van haar te nemen. Olsen was even vergeten dat ze in een concurrentiestrijd verwikkeld waren.
'Ik vertel het je nu.'
'En wat heb je gezien?' Ze wierp een blik op haar boot en vroeg zich af of ze haar notitieblok zou gaan halen.
'Ze kwam uit haar hut, liep naar het eind van de steiger, kleedde

zich uit en liet zich in het water vallen.' Hij nam nog een teug bier en merkte dat hij er een grote bevrediging uit putte zijn rivale te verrassen.
'Dat is alles?'
Lovell knikte. 'Dat is alles.'
'Zag ze eruit alsof ze bang was?' vroeg Olsen. Zwemmen was een geconditioneerde reactie bij mensen. Met andere woorden: het kwam niet vanzelf maar moest aangeleerd en onderwezen worden.
'Bang? Nee, ze was niet bang.' Hij dacht eraan hoe Nell vol vertrouwen achterover in het donkere water was gevallen, hoe langdurig ze onder water was geweest, tot zijn grote schrik, gevolgd door dat plotselinge, speelse opduiken uit de diepte. 'Verre van dat.'
'En ze gaf er niets om dat ze naakt was?' vroeg Olsen.
Lovell schudde zijn hoofd. 'Nee, allerminst.'
'En jij?' vroeg ze met een geniepig lachje. 'Kon het jou wat schelen?'
'Ik vond haar erg mooi.' Lovell lachte niet, zijn gezichtsuitdrukking was afkeurend, bijna vertrokken. Het was duidelijk geen onderwerp dat zich leende voor wat goedgeluimde scherts.
Paula nam een slokje van haar eigen bier en bekeek zijn reactie. Een paar dagen eerder had ze hem ervan beschuldigd dat hij zich ten opzichte van Nell als een jaloerse geliefde gedroeg. Nu vroeg ze zich af of ze wellicht een teer punt had geraakt.
'Ze is erg mooi,' zei Paula op vlakke toon. 'Ben je daarom zo geïnteresseerd in haar?'
Deze keer lachte Lovell wel. 'Je vraagt me of ik van plan ben de arts-patiëntrelatie te misbruiken. Heb je dat in gedachten?'
Olsen knikte. 'En?'
'Nee,' zei Lovell. 'Alleen het feit dat ze mooi is betekent niet dat ik met haar naar bed wil. Ik vind jou ook mooi, maar...' Hij haalde zijn schouders op, een gebaar dat zei: ik ben uiteraard niet geïnteresseerd.
'Jee, bedankt,' zei Olsen met een onoprecht lachje.
'Je weet wat ik bedoel.' Lovell voelde zich enigszins ongemakkelijk, alsof hij er zich plotseling van bewust was dat hij zowel Olsen als zichzelf in verlegenheid had gebracht.

'Ja, ja,' zei ze met een wegwerpgebaar. 'Het is al goed.' Ze was niet beledigd, meer geamuseerd, als ze al iets was. Ze ging wat meer onderuit in haar stoel zitten en nam een slokje bier. Ze kalmeerde, genoot van de warme stralen van de ondergaande zon, de rust en de stilte. Ze had geen zin in ruzie, tenminste niet op dat moment; als de tijd voor de strijd gekomen was, zou ze klaar zijn.
'Zal ik je eens wat vertellen,' zei Olsen. 'Toen ik dertien was, zei mijn vader tegen me: "Jij bent zo mooi, je bent bijna volmaakt." Ze lachte halfhartig. 'Bijna. Dat "bijna" maakte me werkelijk kregel. "Wat is er dan verkeerd aan me," zei ik. "Niemand is volmaakt," zei hij tegen me.'
Lovell knikte. 'Je vader had gelijk.'
'Zeker, maar we hadden het nu over mij,' zei ze lachend. 'Ik bleef aandringen bij hem. Wat is het ? Wat is er verkeerd aan me? Waarom ben ik niet volmaakt? Zijn het mijn dijen? Nee. Mijn tanden? Nee. Mijn tieten? Nee.'
'Zei je "tieten" tegen je vader?'
'Nou... Niet met zoveel woorden...' Ze nam weer een slok bier. 'Ik bleef maar doorzeuren bij die arme man tot hij het me uiteindelijk vertelde.'
'Ik weet uit ervaring hoe leuk het is je in de buurt te hebben als je iets in je kop gehaald hebt.'
'Wil je weten wat mijn vader een onvolmaaktheid vond?'
Lovell haalde zijn schouders op. 'Geen idee.'
'Het zijn mijn oren,' zei ze. 'Ze steken uit.'
'Echt?' zei Lovell. 'Haal je haar eens weg. Laat me eens kijken.'
Paula schudde heftig haar hoofd en legde haar handen als een koptelefoon over haar oren. 'Nee.'
'Kom op.'
'Absoluut niet,' zei ze met nadruk. 'Ze steken uit. Niet veel. Nauwelijks, niet zoveel dat iemand het zou opmerken. Maar het zat me dwars. Mijn oren zijn niet volmaakt. En weet je, ik heb sindsdien nooit meer mijn oren kunnen laten zien.'
Lovell grijnsde. 'Je kunt ze toch altijd laten corrigeren? Een goede plastisch chirurg kan het in twintig minuten.'
'Denk je dat ik dat moet laten doen?' Hij maakte uiteraard een grapje, maar Olsen leek zijn suggestie serieus te nemen.

'Wat weet ik ervan?' zei hij. 'Ik heb ze nooit gezien, maar nee, ik denk niet dat je ze moet laten corrigeren. Geen chirurgie zonder noodzaak. Dat is een van mijn stelregels voor het leven.'
'Geen medicijnen, geen chirurgie. Je bent me wel een dokter.'
'Het is simpel,' zei Lovell. 'De bezorgdheid richt zich ergens anders op, maar het niveau van bezorgdheid blijft gelijk. De wet van Lovell.'
'En die luidt?'
'Als je je oren laat corrigeren, begin je je zorgen te maken over je gewicht. Dan vermager je en het volgende waarover je je druk maakt is kanker. Begrijp je?'
'Bedankt,' zei Olsen. 'Dat is wat je vooruitgang noemt. Ik begin met flaporen en ik eindig met kanker.'
'Je weet wat ik bedoel,' hield Lovell aan. 'Het snijdt hout, nietwaar?'
Ze zweeg even en probeerde te beslissen of ze door zou zetten, haar neus erin zou steken. Ze was toch wel nieuwsgierig.
'Grappig dat je kanker noemde,' zei ze uiteindelijk.
'Grappig? Ik weet niet hoe grappig dat is.'
'Ik hoorde dat je een kankerspecialist was.'
Lovell lachte op een sluwe manier, alsof hij meer wist. 'Heb je dat gehoord?' Hij knikte langzaam. 'Ken je vijand, hè?' Het was duidelijk dat Olsen zijn gangen nagetrokken had.
'Zo ongeveer,' gaf ze toe.
'Goed, ik was eén kankerspecialist.'
'Wat is er gebeurd?'
'Heel simpel,' zei Lovell. Ik ben ermee opgehouden.'
'Waarom?'
Lovell bewoog zich ongemakkelijk in zijn stoel, alsof hij letterlijk probeerde de vragen te ontwijken. 'Ik had mijn redenen... Persoonlijke redenen. Laten we het daarop houden.'
'Ik heb je over mijn oren verteld,' protesteerde Olsen. 'Het is het minste wat je kunt doen.'
'Maar er is niets mis met je oren.'
'Hoe weet je dat? Je hebt ze niet gezien.'
Lovell boog zich voorover en lachte. 'Goed. Ga verder. Laat me ze zien.'
'Nee.'

'Daar heb je het al. Je deinst terug.'
Olsen en Lovell grijnsden en dronken hun bier. Ze voelden beiden hetzelfde, namelijk dat ze een klein keerpunt hadden bereikt, wellicht de geboorte van een vriendschap. Vanaf dit moment zouden ze elkaar bestuderen, net zo goed als Nell.

14

Het zonlicht door de bomen wierp een subtiel schaduwspel op de vitrage in het raam van Nell's slaapkamer. Ze stond bij het raam en probeerde nauwkeurig de silhouetten in het kant die lichtjes in de wind trilden te volgen. Ze had lange, dunne en goedgevormde vingers. De huid was verrassend zacht voor iemand die in de vrije natuur was opgegroeid.

Hoewel Nell zich leek te concentreren op de eenvoudige taak waar ze mee bezig was, het uittekenen van de lichtgrijze schaduwen op het oude gordijn, kon Lovell zien dat ze diep in gedachten was. Het leek alsof er een inwendig debat in haar geest plaatsvond, dat ze erover peinsde wel of niet de volgende stap te zetten in hun voorzichtige vriendschap.

Ze leek haar gedachten te bepalen en gunstig te beslissen, maar wel langzaam en aarzelend, voorzichtig.

'*Missa kein*,' zei Nell. Ze keek niet op van de schaduwen en haar ogen bleven op haar vingers gericht terwijl die de omlijning van de schaduwen volgden. '*Missa kein, jo'kee?*'

'Ik begrijp het niet,' zei Lovell.

Nu wendde ze zich tot hem. '*Sei dan kom, dorda kom feliss a'missa kein.*' Haar woorden klonken ernstig en gemeend. Ze wees naar een van de schaduwen. '*Missa kein.*'

'*Missa?*' vroeg Lovell. 'Wat is *missa*, Nell?'

Nell knikte en kroop ineen. Ze maakte zich zo klein mogelijk en gebruikte haar lichaam om iets te laten zien, bijna op de manier waarop een kind dat zou doen.

'*Missa Nell*,' zei ze. Ze stond op en door haar schouders recht naar achteren te werpen maakte ze zich zo groot mogelijk. '*Erna Nell.*'

Lovell knikte. Hij bracht zijn handen dicht bij elkaar.

'*Missa?*'

Nell knikte.

Hij maakte de ruimte tussen zijn handen groter. '*Erna?*'

'Groot en klein,' zei Lovell.

Nell knikte weer. '*Jo'kee.*'
'Wat is *kein*, Nell? *Kein?*'
Nell knikte, sloot haar ogen en hief haar armen op, ze breed uitspreidend. Ze zwaaide lichtjes vanuit de heupen, waarbij ze haar hoofd losjes van de ene naar de andere kant liet hangen. Terwijl ze aan het mimen was, maakte ze een zacht sissend geluid.
Lovell keek haar enkele momenten strak aan, geboeid door de elegante gratie van haar lenige bewegingen. 'Je bent een boom,' zei hij. 'Een boom in de wind.'
Nell knikte. '*Kein inne win.*'
'Boom in de wind,' zei Lovell langzaam, waarbij hij elk woord zorgvuldig uitsprak.
'*Boo' inne win?*'
'Ja. Dat klopt.' Voorzichtig, alsof een plotselinge beweging haar aan het schrikken zou maken, begaf Lovell zich naar de deur en opende die op een kier.
'Laat me het zien, Nell. Laat me "*kein*" zien.'
Nell's stemming veranderde direct. Haar ogen gingen wijd open en vernauwden zich, haar gezicht was vertrokken van angst. Ze deinsde terug van de open deur alsof er iets zeer boosaardigs aan de andere kant was.
'*Nei, Nell tata*,' zei ze, terwijl ze haar hoofd schudde. '*Nell erna tata. Erna tata.*'
'*Tata?*' vroeg Lovell. '*Wat is tata?*'
Nell hoefde het ditmaal niet uit te beelden. Ze kromp ineen, bijna trillend van angst. Het woord betekende angst, kort en goed.
'Waarom *tata*, Nell?' vroeg Lovell. 'Wat maakt je zo bang?'
Nell's ogen schoten heen en weer en er schoot een stroom woorden uit haar mond. '*Inna tei'a sij, boo'dene dan kom, boo'dene doen auw Nell, doen – Jaah! Hai! Hai! Zzzzzslit!*'
'Nell, *boo'dene?* Laat me *boo'dene* zien.'
Nell ontblootte haar tanden, haar handen vormden zich tot klauwen en graaiden in de lucht. Haar neusvleugels stonden wijd open en er kwam een snauwend gegrom uit haar keel.
Lovell kneep zijn ogen toe en bestudeerde haar oplettend. 'Een monster, Nell? Is *boo'dene* een monster?'
Ze keek plotseling met een nerveuze blik naar de open deur, alsof *boo'dene* elk moment binnen kon stormen. Lovell sloot de

deur stevig en ze leek iets tot rust te komen, maar ze was nog steeds op haar hoede. Ze keek om naar de gordijnen, maar de schaduwen waren verdwenen. De zon ging onder en rond hen begon het donker te worden.

'Wees maar niet bang,' zei Lovell. 'Je hoeft nergens bang voor te zijn. Echt niet.'

Opnieuw kwam er een waterval van woorden uit Nell. '*Boo'dene dan kaan inne tei'a feliss. Nell dan kau Mi'ie, dan kaan alo'lek,*' zei ze fel. '*Nell liess'a Mai'i, liess'a Mi'ie, awtei. Missa dibbetje. Jo'kee.*'

Lovell raakte het spoor bijster in deze doolhof van woorden, hij herkende er maar weinig. Hij had geen idee wat ze zei, maar het leek voor haar zo belangrijk dat hij begreep wat ze zei dat hij zich gedwongen voelde te lachen en te knikken. '*Jo'kee, Nell, jo'kee.*'

Nell knikte nu ontspannen en blij, maar ze draaide zich van hem af en trok zich terug in haar hoek, alsof ze wilde aangeven dat de ondervraging beëindigd was.

Lovell liep met grote passen de hut uit, opgewonden, blij, verward; het duizelde hem na wat er gebeurd was. Hij begon zich te realiseren dat Nell's wereld een ingewikkelder geheel vormde dan hij had gedacht. Het was een levende wereld, bevolkt door wezens die in haar verbeelding bestonden, maar niettemin echt waren. Ze was niet grootgebracht in een vacuüm en leefde daar ook niet in, ze was geen kind, haar geest was geen tabula rasa, maar complex en gecompliceerd.

Olsen kwam uit de woonboot tevoorschijn met haar notitieblok in haar handen. 'Ik heb het gezien,' zei ze. 'Ik heb alles op de monitor bekeken. Ik heb die woorden aan de lijst toegevoegd.'

'Ze is verbazingwekkend,' zei Lovell, terwijl hij het notitieblok pakte. '*Missa* – klein,' las hij. '*Erna* – groot. *Tata* – bang. *Kein* – boom.'

'En wat is *boo'dene*?' vroeg Olsen. 'Wat het ook is, ze raakt er wel van streek van.'

'Het is iets wat buitengewoon agressief is,' zei Lovell. 'Iets wat haar doodsbang maakt.'

Olsen knikte. 'En 's nachts is het er niet. Dat is vreemd. In de menselijke geest is de nacht vol gevaren. Toch is Nell niet bang om 's nachts naar buiten te komen.'

'Ja,' zei Lovell. 'Wat voor monsters zijn er 's nachts niet?'
'Denkbeeldige.'
'Ja, dat is duidelijk, maar Nell gelooft dat ze echt zijn. Zelfs als je haar taal niet spreekt, kun je de overtuiging in haar stem horen.'
'Ze komen niet uit Nell's verbeelding,' zei Olsen. 'Bedenk dat haar moeder haar enige bron van informatie was. Ik wed dat Violet Kellty de monsters heeft uitgevonden – de *boo'dene* – en ze aan de dag heeft toegekend in plaats van aan de nacht. Ze heeft haar dochter enge verhalen verteld om haar opgesloten te houden. Ze heeft haar bijna dertig jaar verborgen gehouden. De kans dat iemand haar daar 's nachts zou zien was vrijwel nihil, volgens mij.'
Lovell bestudeerde de transcriptie. '*Boo'dene dan kaan inna tei'a feliss*. In de... *tei*... Dat is tijd, denk ik. De tijd van *feliss*... Duisternis? Nacht? Zoiets dergelijks?'
'Waarschijnlijk,' zei Olsen.
Aan het andere eind van het veld bewoog iets, een kleine, snelle beweging die Lovell in zijn ooghoek registreerde. Het was een witte schim die tussen de hoge dennebomen geruisloos wegschoot. Het was Nell.
'Ze is naar buiten!' riep Lovell.
Paula Olsen keek snel in het rond. 'Waar?'
De tengere gedaante van Nell glipte weg in de nacht, verdween uit het zicht, ook al ging Lovell haar nog achterna. Hij sprong het bos in, baande zich een weg door het kreupelhout, waarbij zijn voetstappen gedempt werden door het dikke tapijt van dennenaalden op de grond. Tussen de bomen was het erg donker en het was onmogelijk te zien waar Nell heen was gegaan. Er was geen pad en ze bewoog zich stilletjes, waarbij ze nauwelijks het dichte struikgewas in beweging bracht dat Lovell de doorgang versperde.
Hij hield stil in een bosje met doornstruiken en luisterde ingespannen of hij Nell hoorde. De lucht onder de bomen was koeler dan die op het veld en het rook er vochtig en lemig.
Paula Olsen kwam dwars door de struiken aangelopen, waardoor ze Lovell even aan het schrikken bracht.
'Waar is ze?' vroeg Olsen.
'Ik weet het niet.'

‘Moeten we naar haar op zoek gaan?’
‘Waar?’ Lovell schudde zijn hoofd. ‘Ze weet waar ze heen gaat. We gaan niet kijken.’
‘Waar denk je dat ze heen gaat?’
‘Wie zal het zeggen?’ Hij bleef even stil, alsof hij hoopte dat Nell zou laten weten waar ze was. Maar ze was weg. En ze bevonden zich diep in het bos. ‘We kunnen beter teruggaan, nu het nog niet helemaal donker is.’
Olsen en Lovell waren verder het bos in gerend dan ze gedacht hadden en het was een lange, moeizame wandeling terug door de doornstruiken naar het open veld. Ze zweetten beiden van de warmte toen ze de woonboot hadden weten te bereiken en Olsen verdween naar binnen. Ze kwam even later weer tevoorschijn met een gekoelde fles wijn en een kurketrekker en overhandigde die aan Lovell.
‘Ze is beslist aan haar omgeving aangepast,’ zei Paula. ‘Wij konden daar nauwelijks vooruitkomen, maar zij bewoog zich door dat bos alsof ze over een grote weg liep.’
‘Ze zit zeker vol verrassingen. Ik zou het natuurlijk anders gezegd hebben. Ik zou gezegd hebben dat ze goed de weg weet hier. Maar nogmaals, ik ben geen wetenschapper.’ Lovell trok de kurk met een welluidende plop uit de fles. ‘Glazen?’
Deze keer vond Paula Olsen het niet nodig toe te happen. ‘Glazen, goed.’
Lovell luisterde hoe ze in de boot kastdeuren open- en dichtsloeg om te zien wat ze in voorraad had. ‘Ik hoop dat je trek hebt in pasta, veel meer heb ik niet in huis.’
‘Klinkt erg goed.’
Paula kwam terug met de glazen. Lovell schonk in en ze hieven hun glazen op om te toosten.
‘Drinken we op iets in het bijzonder?’ vroeg ze.
Hij haalde zijn schouders op. ‘Nell?’
‘Waarom had ik toch het gevoel dat je dat zou zeggen?’
‘Je past je aan aan je omgeving.’

Het kostte Paula Olsen niet veel tijd om een pan heerlijke pasta te maken, een eenvoudige, geurige schotel met tomaten, knoflook en basilicum. Ze aten buiten, waar een acculamp een gedempt licht op tafel verspreidde. De meeste wijn was op, wat grotendeels op rekening van Lovell kwam, en er heerste tussen hen een ontspannen en rustige stemming, hoewel Olsen van tijd tot tijd in het duistere bos tuurde.

'Waar gaat ze toch heen?' vroeg ze zich af. 'Ik bedoel, wat is daar dan in dat bos?'

Lovell moest eerst een mond vol spaghetti doorslikken voor hij kon antwoorden. 'Je hebt het al gezegd. Het is haar bos.'

'En toch zou ze kunnen verdwalen, ze is geen bergbewoner. Ik wil haar niet kwijtraken. Ik maak me zorgen over haar. Het is donker daar.'

'Ze houdt van de nacht.'

Paula werd er niet door gerustgesteld. 'Ze kan wel in een ravijn vallen of zo.'

'Je klinkt net als mijn moeder.'

'Ik ben niet je moeder,' zei ze op besliste toon.

'Blijf in de tuin spelen, Jerry.' Hij liet zijn stem een octaaf stijgen en sprak met een overdreven Iers accent. 'Blijf waar ik je kan zien, Jerry. Wees voorzichtig, Jerry, je kunt je bezeren.'

Olsen lachte. 'Hoe Iers ben je?'

'Mijn moeder is Ierse. Pa is geboren en getogen in Boston. We hebben tot mijn zestiende in Ierland gewoond. Mijn vader wilde dat ik een Iers hart en een Amerikaans inkomen zou hebben.'

'Net zoals hij?'

Lovell grijnsde. 'Bingo. Hij wilde dat ik zoals hij werd. Oei, wat wilde hij graag dat ik net zoals hij werd!'

'En dat werd je niet?'

'Wat denk je?'

'Sorry...' Paula's ogen speurden het duister af. 'Ik wou dat ze terugkwam. Ik ben bang dat haar iets overkomt.'

'Dat kun je niet hebben, hè?' zei Lovell. 'Je moet een theorie bewijzen.' Omdat hij erbij glimlachte, werd de opmerking iets minder venijnig.

'Rot jij toch ook op, Lovell.' Maar er zat geen echte vijandigheid achter haar reactie. Ze nipte van haar wijn. 'Jij denkt dat ik alleen voor mezelf in Nell geïnteresseerd ben, hè?'

Hij legde zijn vork neer en keek haar even aan, terwijl hij zijn woorden voorzichtig koos. 'Ik denk dat je in Nell als fenomeen

geïnteresseerd bent,' zei hij. 'Ik denk dat je haar als een probleem ziet, en nu wil je de oplossing vinden.' Hij trok vragend zijn wenkbrauwen op. 'Klopt dat?'
Olsen was verrast. Wellicht was het de verzachtende invloed van de wijn, wellicht was hij het alleen maar zat om met haar te ruziën, maar hij had vrijwel de roos getroffen.
'Dat maakt er deel van uit,' zei ze. 'Maar toevallig denk ik ook dat ik werkelijk verschil kan uitmaken voor haar leven. Jij niet?'
Hij vulde zijn glas nog eens en toen zij afsloeg, schonk hij ook haar deel in het zijne. 'Ik weet het niet precies,' zei hij zacht. 'Ik weet het echt niet.'
'Je móet het weten,' zei Olsen fel. 'Je moet wel geloven dat je haar iets kan geven; wat doe je hier anders?'
'Overkomt het jou nooit dat je ergens in zit zonder dat je precies weet waarom?'
'Nee,' zei ze met nadruk.
Lovell richtte zijn aandacht weer op zijn eten en draaide zijn vork in de berg pasta. 'Denk je dat je je eigen leven in de hand hebt?'
'Ik hoop het wel.'
Hij schudde langzaam zijn hoofd, alsof hij verbaasd was over de roekeloosheid van de jeugd. 'Dan heb je geluk. Zuiver, dom geluk, geen beheersing. Zo eenvoudig is het. Je bent nog niet in de troep terechtgekomen.'
'Jij wel dan?'
Hij zweeg lange tijd, alsof hij probeerde te beslissen of hij haar een geheim kon toevertrouwen. 'Alleen die ene keer,' zei hij uiteindelijk. Hij zuchtte diep, alsof hij opgelucht was haar in vertrouwen genomen te hebben.
'En daarom ben je opgehouden met je werk?'
'Ja.'
'Er ging iemand dood.'
Lovell huiverde. Ze had een wond gevonden en die vol getroffen.
'Ja.'
De onvermoeibare onderzoeker in Paula Olsen begon zich te laten gelden. Een moment lang was Jerry Lovell niet meer gewoon de man met wie ze zat te eten, maar was hij een geval geworden, een wirwar van problemen die ontrafeld moest worden. Ze over-

dacht wat ze over Lovell wist en paste dat toe op het raadsel dat ze bij de hand had.
'Verkeerde diagnose?' vroeg ze.
'Verkeerde behandeling,' zei hij grimmig. 'Bij kankerpatiënten is de dosis van de medicatie cruciaal.' Hij nam een grote slok wijn alsof hij daardoor verdoofd zou raken tegen de pijnlijke herinnering.
'Dat gebeurt nu eenmaal.' Haar ondervragende houding begon weg te zakken. De pijn lag duidelijk zichtbaar op zijn gezicht en ook zij werd erdoor geraakt.
'Dat zeiden ze allemaal. Een van die dingen. Niemands schuld. Zeker.' Hij haalde zijn schouders op en probeerde te lachen. 'Maar... het gebeurde. Het gebeurde mij. En wat denk ik nog belangrijker was... het gebeurde haar.'
'Haar? Wie was het?'
'Een meisje van veertien.' Hij keek Olsen even aan en wendde toen zijn blik af. 'Annie.'
Het woord, de naam, leek tussen hen in de lucht te hangen. Paula zweeg, stelde geen vragen meer. Als Lovell meer wilde zeggen, zou hij dat wel doen; zo niet, dan was het niet haar taak om te proberen zijn verleden uit hem te trekken.
Lovell tuurde het donker in, alsof de vreugdeloze gebeurtenissen van het verleden zich voor hem afspeelden. Hij kon Annie zien, haar heldere ogen en haar donkere bos krullen. Een lach die altijd hoopvol was, zelfs bij alle pijn en angst. 'Ik heb haar nooit verteld dat ik haar kon genezen,' zei hij. Zijn stem klonk somber, zijn ogen stonden droevig. 'Maar ze wist dat ik alles zou doen wat mogelijk was... En wat ik deed was haar doden.'
'Zou ze toch wel gestorven zijn?' vroeg Olsen.
'Natuurlijk,' zei hij fel. 'We gaan allemaal uiteindelijk...' Zijn boosheid ebde weg.
'Waarschijnlijk. De kanker was al ver gevorderd. Ze zou iets langer gehad hebben als ik het niet verpest had...' Hij nam een slokje wijn en lachte treurig. 'Ik speelde altijd muziek voor haar. Nummers uit de jaren zestig. Haar ouders bedankten me na afloop. Zeiden dat ik veel voor Annie betekend had, dat ik de laatste weken draaglijk gemaakt had.'
Hij zweeg lange tijd. Minuten gingen voorbij. Hij bewoog niet,

keek haar niet aan. Lovell zat daar maar, zijn ogen gefixeerd op de lamp, terwijl zijn wijnglas warm werd tussen zijn handen. Paula Olsen begon te denken dat hij deze avond niets meer zou zeggen toen hij zijn relaas weer oppakte. 'Haar ouders... Ze hield van die nummers, zeiden ze.'
'Is het nooit uitgekomen?' vroeg Olsen. 'Zijn de ouders nooit te weten gekomen dat de dosis van de medicijnen onjuist was?'
Lovell lachte met een scheve mond en schudde zijn hoofd. 'Nee. Natuurlijk niet. Ziekenhuizen maken dergelijke fouten niet. Te duur, weet je? De club zorgt goed voor zichzelf. Alle andere artsen schaarden zich om me heen en hielden het stil.' Hij dronk zijn glas wijn leeg en zuchtte. 'Je kunt het niet riskeren dat de aansprakelijkheidsverzekeringen nog duurder worden, hè...'
Paula wilde maar al te graag zijn pijn verlichten. 'Als iedere arts die het verknalde ermee ophield, zouden er geen artsen meer over zijn.'
'Klopt. Ze wilden niet dat ik vertrok.'
'Maar je ging wel.'
Lovell knikte. 'Maar dat was het einde voor mij. Ik wist dat het voorbij was, ook al wisten zij dat niet.'
Misschien had Lovell zichzelf ervan overtuigd dat zijn terugtreden iets was dat hij voor zichzelf deed, maar Paula dacht daar anders over. Als psychologe wist ze maar al te goed dat er geen pijnlijker, kwetsender menselijke emotie was dan schuldgevoel. Het was een meedogenloze, dagelijks terugkerende kwade geest die als een zuur door de ziel brandde. Lovell werd verteerd door wroeging over de dood van een meisje van veertien, en daarbij wilde hij – vroeg hij – straf. Hij had zichzelf hier in de bergen verborgen, een eeuwenoud ritueel van boetedoening en spijtbetuiging, waarmee hij zichzelf tot kluizenaar had benoemd om zich van zijn grote zonde te bevrijden.
Ze kon maar weinig zeggen om hem op te beuren. De aloude wijsheden – het had iedereen kunnen gebeuren, het was niemands schuld, het gebeurt elke dag – zouden hol en inhoudsloos hebben geklonken, als domme clichés die hem waarschijnlijk alleen maar dieper in de put zouden helpen.
Opeens klonk er een plons in het water. Lovell en Olsen keken naar het meer en zagen Nell met haar slanke witte lichaam door

het donkere water klieven. Ze was niet verder dan twintig meter van hen verwijderd, terwijl de woonboot volop verlicht was – het was onmogelijk dat ze niet wist dat zij er waren – en toch gaf Nell geen blijk van ook maar de geringste verlegenheid. Ze ging volkomen op in de geneugten van haar spel en plonsde in het golvende water als een zeemeermin.

Paula en Lovell staarden ernaar. Ze hadden beiden het gevoel alsof ze een andere Nell zagen, een vrije, gelukkige vrouw die uit het water tevoorschijn kwam alsof ze haar angst en verwarring van zich af had geschud. Toen ze het water in sprong, wendde Olsen haar blik even van haar af om naar Lovell te kijken. Hij keek naar haar met onverdeelde belangstelling, terwijl de pijn van daarnet van zijn gezicht verdween.

'Je hebt gelijk,' fluisterde Paula. 'Ze is erg mooi.'

Lovell wendde zijn blik niet van Nell af. Hij lachte onwillekeurig naar haar; de pure vreugde van haar spel straalde naar hem uit.

'Waarom speel je niet wat muziek voor haar?' zei Paula. Lovell draaide zich om en zag de vragende blik van Olsen. Ze wisten beiden wat ze bedoelde: door de muziek zal de herinnering aan Annie geheeld worden door Nell.

Lovell aarzelde slechts een moment voordat hij opstond en de woonboot binnenging. Nell zwom terug naar de steiger en zonder enige verlegenheid trok ze zichzelf in één beweging op uit het water. Er stroomde water van haar lenige armen en benen en ze schudde met haar lichaam, zoals een hond zou doen als hij in het water geweest is, en pakte haar hemd.

Ze rende net over het veld, gehuld in haar kleren, toen Lovell uit de woonboot kwam. Nell's gedrag was veranderd. Haar schouders waren enigszins gekromd en haar ogen waren neergeslagen, alsof ze zich minder op haar gemak voelde op het land, alsof het meer haar echte thuis was.

Plotseling werd de avondstilte verbroken door een opeenvolging van pianotonen, die in de stille nachtlucht helder en duidelijk klonken. Daarop klonk er een diepe, welluidende stem die loom zong.

'*Crazy...*' De stem van Patsy Cline begon het vertrouwde, klagende lied. De woorden leken over het open veld te kronkelen als de rook van een houtvuur.

De echoënde muziek had een plotseling effect. Nell bleef opeens volkomen stil staan, alsof ze door een onzichtbare pijl aan een punt op het pad was vastgepind. Het was duidelijk dat ze nog nooit in haar leven zoiets gehoord had en het geluid leek haar diep in haar hart te raken.

'*Crazy...*' De woorden klonken bedroefd en zoet. De stem van Cline was gevuld met een droefenis en berusting die je door de ziel sneed.

Nell trilde nu, luisterde met gesloten ogen, en het leek alsof ze een scherpe maar tegelijk heerlijke pijn voelde, alsof elke noot haar raakte.

'*Worry...*' begon het tweede couplet. Nell bleef staan trillen tot het eind van het couplet.

De laatste noot werd lang aangehouden, een bedroefde kreet. Het was te veel voor Nell. Ze drukte haar handen op haar oren, in een wanhopige poging de intense ervaring buiten te sluiten, een ervaring die voor haar te ingrijpend was om te verdragen.

'*Oh... Crazy...*'

Nell begon te rennen, verdreven door het geluid, alsof de muziek een gesel op haar rug was. Een seconde later sloeg de deur van de hut dicht. In het duister van haar slaapkamer probeerde ze de overweldigende sensatie te ontvluchten.

De muziek stopte abrupt toen Olsen de stopknop op de stereo-installatie indrukte. Lovell bleef naar de hut staren, in de hoop dat Nell weer zou verschijnen. Er was geen licht bij het raam te zien en hij kon zich voorstellen hoe ze daarbinnen zat, weggekropen in een hoek, op haar hoede, terwijl ze probeerde te begrijpen wat ze gehoord had, probeerde wijs te worden uit de warboel van gevoelens die de muziek teweeg had gebracht.

'Jezus,' fluisterde hij.

'Dat was mijn fout,' zei Olsen kortaf. Ze was weer de psycholoog geworden. 'Ik denk dat ze nog nooit muziek gehoord heeft. Ze heeft geen weerstand.'

Lovell herinnerde zich het effect van hetzelfde lied op Annie. Ook zij had geen weerstand gehad, maar op een andere manier.

'Dat is geen zwakte,' zei hij. 'Dat is een gave.'

15

Het was een andere Paula Olsen die met grote pasen de vergaderruimte in de psychiatrische vleugel van het Washington State Medical Facility in liep. Haar uiterlijke verschijning was niet veel veranderd, zij het dat ze een chic mantelpak droeg en een dure attachékoffer bij zich had, maar haar houding tegenover Nell en Jerry Lovell was aanzienlijk gewijzigd.

Professor Paley was nog steeds haar mentor en gids, maar ze was vastbesloten zich niet te laten verleiden tot overhaaste conclusies of te vergaande besluiten over Nell's toekomst. Paula beschouwde zich nog altijd als lid van het team, ze wenste alleen dat het team niet Goppel en Malinowski omvatte. Niet dat ze hun meningen of deskundigheid niet respecteerde, maar ze begon het gevoel te krijgen dat naarmate er meer mensen bij betrokken waren, het des te waarschijnlijk werd dat het welzijn van Nell in gevaar kwam.

Ze zag tot haar verbijstering dat er in de vergaderruimte niet drie mensen op haar zaten te wachten, maar negen. Paley, Goppel en Malinowski hadden gezelschap gekregen van zes anderen, die tot de meest vooraanstaande namen in de psychologie behoorden.

'Kom binnen, Paula, kom binnen,' zei Paley terwijl hij haar de kamer binnenleidde. Hij had de houding van een man die zojuist een verrassingsfeestje had georganiseerd voor de verbaasde jarige.

Paula keek de kamer rond en wist een zwak lachje tevoorschijn te toveren.

Paley zorgde voor de introducties. 'Dit is Louis Gottschalk van het Nationale Instituut voor de Geestelijke Volksgezondheid... Jim Oleson en Judith Lazorek van het Harvard Neurologisch Instituut...'

Paula knikte naar ieder van hen; ze bewoog haar hoofd als een marionet heen en weer en was ervan overtuigd dat ze er als een idioot uitzag.

'Ben Rosa, die bij het Hersheim in Stanford zit,' ging Paley verder. 'Ralph Harris, adjunct-hoofdredacteur van het *Journal of Autism and Childhood Schizophrenia*. Anniko Morishima, van wie je het werk uiteraard kent...'

Enigszins duizelig door dit academische geschut liet Paula zich in een stoel aan tafel vallen. Ze deed alsof ze druk was met de aantekeningen en papieren in haar attachékoffertje om wat tijd te winnen en haar gedachten te ordenen. Het eerste wat ze zich realiseerde was dat hier meer aan de hand was dan Paley die een paar zwaargewichten liet aanrukken om te helpen bij de diagnose en therapie van Nell. Deze slagorde van wetenschappelijke uitblinkers was een blijk van vertrouwen in Paula, in het belang van Nell. Olsen was daar dankbaar voor, maar er was meer en dat vond ze in het geheel niet prettig.

Paley stuurde haar een boodschap, twee boodschappen in feite. De eerste betrof Paley zelf. Hij onderstreepte zijn macht en vertelde haar zijn autoriteit niet in twijfel te trekken. Alleen Alexander Paley kon machtige vrienden en collega's bijeenroepen, eminente dames en heren van de beste instituten in de wereld die bereid waren op zijn verzoek het hele continent over te vliegen.

De tweede boodschap betrof Paula. Paley liet haar de schitterende prijzen zien, het soort waardigheid en prestige dat ze zelf zou kunnen verkrijgen.

Academische reputaties worden niet alleen op grond van onderzoek gevestigd, maar door een netwerk van vrienden en beschermheren, en ieder van de mannen of vrouwen aan die tafel zou een waardevolle bondgenoot zijn. Het Nationale Instituut voor de Geestelijke Volksgezondheid, het Harvard Neurologisch Instituut en het Hersheim Instituut zouden prestigieuze plaatsen zijn om te beginnen met het beklimmen van de sporten van de academische ladder en een artikel op het juiste tijdstip in het *Journal of Autism and Childhood Schizophrenia* zou een garantie zijn voor die beklimming. Dit alles lag voor Paula Olsen in het verschiet, maar alleen als ze deed wat haar werd verteld en het Paley-pad volgde.

Paley keek glunderend naar de verzamelde elite. 'Dames en heren,' zei hij vriendelijk. 'Ik meen dat ons een unieke gelegenheid gepresenteerd wordt om het proces van de menselijke ontwikkeling onder gecontroleerde omstandigheden te bestuderen...'

Paula trok haar wenkbrauwen op. Die onheilspellende term 'gecontroleerde omstandigheden' beviel haar niet.
Paley merkte het ongenoegen van zijn jongere collega niet op. 'Zo direct zal ik Paula Olsen vragen het woord te nemen. Maar eerst, de ster van onze voorstelling: Nell.'
Hij drukte op een knop van de afstandsbediening in zijn hand en uit het grote tv-scherm aan de muur klonk een statisch geruis. De beelden kwamen op en Nell verscheen op het tv-scherm. Ze staarde direct in de lens van de videocamera; het was duidelijk dat ze die net ontdekt had.
Langzaam kwam ze er naar toe, bleef staan en kwam nog dichterbij. Ze tuurde ingespannen en haar ogen waren met nieuwsgierigheid en verbazing gevuld. Olsen kon zien dat Nell nadacht en keek, de moed vergaarde om dichterbij te komen. Ze waagde het erop en kwam zo dichtbij dat ze op de lens ademde, waardoor het scherm wazig werd.
Tijdens de enkele ogenblikken dat Nell's beeld niet te zien was, keek Paula de kamer rond. Alle negen deskundigen zaten voorover geleund in hun stoelen en hielden hun adem in. Niemand knipperde met zijn ogen; allen keken ingespannen naar het scherm. Paula Olsen lachte inwendig; Nell had haar magie weer eens gebruikt.

Lovell lag te slapen en droomde. Hij had de avond tevoren het grootste deel van de fles wijn opgedronken en als gevolg daarvan was hij diep in slaap. Toch sliep hij niet geheel zonder problemen. Er zoemde letterlijk iets in zijn hoofd, een aanhoudende bromtoon die door zijn dromen heen bleef zeuren. In zijn hoofd was het een ongelooflijke warboel van beelden en situaties, een vreemde mengelmoes van fantasie en werkelijkheid. Nell was er, evenals Paula en Annie – in zijn droom ervoer hij een enorme blijdschap toen hij zag dat ze een gelukkig leven leidde – maar achter dat alles was er die voortdurende, onverbiddelijke bromtoon. Lovell draaide zich om in zijn slaap en bleef in gevecht met zijn onderbewustzijn.

Nell was wakker en hoorde de bromtoon ook. Het geluid kwam haar niet onvertrouwd voor, maar toch was ze er bang voor, al-

leen omdat het een geluid van overdag was en Nell goed wist dat er onder het zonlicht slechte dingen gebeurden.
Ze probeerde de dreun te vergeten door op te gaan in het eenvoudige maar mysterieuze proces van het maken van haar ontbijt. Voor anderen is het maken van havermoutpap een eenvoudige, alledaagse bezigheid, maar in Nell's ogen was het niets minder dan een mirakel. De vederlichte witte vlokken die uit de doos vielen, door de heldere schacht van een zonnestraal waarin stofdeeltjes oplichtten en dan in de kom dwarrelden, waren van een grote schoonheid. De stroom water uit de oude, gedeukte geëmailleerde kruik werd verlicht door de zon en glinsterde als een waterval.
Het resultaat was een eenvoudige pap van klonterige havervlokken en water, gemengd in een porseleinen kom vol barsten. Het was Nell's hoofdmaaltijd waar kraak noch smaak aan zat, maar onder haar toegewijde aandacht werd het een wonderbaarlijk geheel.
Ze zat aan de tafel in de keuken en had trek in haar ontbijt, maar ze wachtte een moment met haar hoofd gebogen in een stil gebed, als een stomme gratie.
Daarop begon Nell te eten. Ze stak een verweerde houten pollepel in de dunne pap en at haar spartaanse ontbijt snel en met een zeker genoegen op. Haar voeding bevatte geen uitgesproken smaken, zoals sterke kruiden of zoetigheid, en daarom had ze na verloop van tijd de subtiele smaak en samenstelling van een kom doodgewone havermout weten te waarderen. Ze at snel en heel geconcentreerd en in enkele momenten had ze haar kom leeg en er elk laatste restje uitgeschraapt.
Nog altijd was er een dreinend, onophoudelijk gebrom te horen. Nell zette haar kom en lepel weg en bleef volkomen stil zitten, geheel in beslag genomen door de straal zonlicht die over de tafel viel. Ze plaatste haar hand met de palm open in de straal, alsof ze de straal gouden licht in haar hand hield. Haar ogen waren strak op de zonnestraal gericht, haar lippen vormden half uitgesproken woorden, alsof ze een herinnering opnieuw beleefde.
'*Ah, son'eke nasie,*' mompelde ze. '*Uhfo'k lade' mit onrettikeit, ut keb'oet fan boo'denes...*'
Het gedreun werd luider en kwam dichterbij.

Tot in de verre omtrek was de knetterende motor van een motorfiets in het bos hoorbaar. Billy Fisher raasde op zijn motor vol modderspatten over de heuvel en doorploegde het ruwe terrein rond het meer. Hij had niet meer zo gereden sinds Ma Kellty overleden was; hij had altijd genoten van de ruige rit maar had er een hekel aan met de krankzinnige oude vrouw om te gaan; nu zij weg was kon hij van zijn uitstapje genieten zonder het gebruikelijke onplezierige einde.
Hij stuurde zijn machine van de ene naar de andere kant, zonder speciaal ergens heen te gaan. Hij was alleen op zoek naar hellingen om te beklimmen en natuurlijke taluds om van af te springen. De dikke rubberen noppen op zijn brede banden deden het zand opstuiven op de paden, waardoor er een dichte stofwolk in de lucht bleef hangen.
Billy Fisher reed een steile helling op en zette de motor stil op een plek vol zand en kiezels. Hij stond op de top van de helling die naar de open plek leidde en vroeg zich af waar hij heen zou gaan, toen hij twee dingen zag die hem verbaasden. Het ene was de woonboot die hier net zo ongepast leek als een buitenaards ruimtevaartuig. Het andere was Nell.
Terwijl Billy stond te kijken werd de deur van de hut met een luide klap opengegooid en kwam Nell uit het huis gerend met een wilde, krankzinnige blik in haar ogen.
Ze schreeuwde als een duivel en haar angstige uithalen echoden over het meer. Billy's mond viel open van verbazing; hij was ervan overtuigd dat dit wezen een aanval van krankzinnigheid had. Ze zwaaide met haar armen, ging tekeer als een razende, stampte steeds weer met haar voeten, terwijl ze met de hakken van haar werkschoenen op de verweerde planken van de veranda sloeg, zoals een kind dat buiten zinnen raakt.
Nell gilde verontwaardigd. '*Jaah! Hai! Hai! Zzzzzzlit!*' Haar woeste ogen zochten de open plek af terwijl ze bleef schreeuwen, alsof ze op zoek was naar de legendarische *boo'dene*.
'Wauw!' bracht Billy uit. Hij merkte hoe de haren in zijn nek recht overeind gingen staan bij het geluid van de onmenselijke uithalen.
Even later vloog de deur van het busje open en Billy zag tot zijn verbazing dr. Lovell eruitkomen en het veld over rennen. Zijn

haar zat verward en hij liep op blote voeten. Onder het rennen maakte hij haastig de knoopjes van zijn overhemd vast.
'Nell! Wat is er gebeurd? Wat is er?'
'Gaan weg!' gilde Nell. 'Gaan weg!' Ze greep Lovell's hand en begon hem de hut in te trekken.
Billy Fisher was bang. Hij was ervan overtuigd dat deze woeste vrouw zo krankzinnig deed omdat hij op het terrein was. Hij startte zijn motor en scheurde met grote snelheid van het beangstigende toneel weg. Het duizelde hem. Een krankzinnige vrouw! Billy meende dat er een vloek moest rusten op die hut: eerst Ma Kellty, nu deze woest schreeuwende vrouw!
'Niemand zal dit geloven,' riep hij in het niets. 'Niemand!'

Nell schopte en sloeg met grote armzwaaien op de tafel in de keuken, daarbij woest schreeuwend. *'Woo'vede hee'! Kaan wek! Kaan wek!'* Lovell had haar niet zo van streek gezien sinds de eerste dagen na de ontdekking. Haar handen waren tot klauwen gekromd en ze sloeg wild om zich heen, zodat hij liever op een afstandje bleef. Lovell voelde zich ellendig, alsof een patiënt die flink aan de beterende hand leek een enorme terugval vertoonde.
'Nell, alsjeblieft...' Hij kon weinig opmaken uit haar razende woordenstroom. 'Gaan weg' was op zich duidelijk, maar wat was *'woo'vede hee'*?
Nell schopte ziedend tegen de tafel en trapte met haar schoen tegen de plank eronder, waardoor de tafel bij elke trap opgelicht werd.
'Wat is er weggegaan, Nell?' vroeg hij zo kalm mogelijk.
Ze bleef schoppen, maar deze keer wees ze met een heftig gebaar. *'Woo'vede hee'! Kaan wek!'*
Plotseling werd alles duidelijk. De plank onder de tafel was de plek waar hij de stapel officiële papieren van Violet Kellty had ontdekt, evenals de gezinsbijbel.
'Woo'vede hee'!' gilde Nell.
'Woord van de Heer,' zei Lovell. 'Nell, wacht hier. Ik ga hem halen.'
Hij rende terug over het veld en stormde hals over kop het woongedeelte van de boot binnen. Paula Olsen had al haar aan-

tekeningen, de cassettes en videobanden en haar achtergrondliteratuur zorgvuldig gecatalogiseerd in drie kartonnen kaartsystemen. Lovell wierp zich erop en begon de nauwkeurig bijgehouden gegevens te doorzoeken. In de paar minuten die het hem kostte om de bijbel te traceren, wist hij van haar zorgvuldig gerangschikte inventaris een totale chaos te maken. Op dit moment ging het er maar om Nell op haar gemak te stellen.
De bijbel had op Nell een opmerkelijk en onmiddellijk effect. Op het moment dat hij in de keuken terugkwam, griste ze het boek uit de uitgestrekte handen van Lovell en hield het stevig tegen haar borst. Haar paniek verdween meteen. Ze zwaaide zachtjes heen en weer en streelde de bijbel op de manier waarop een kind een knuffeldier vasthoudt.
Ze lachte en keek naar Lovell met een warme tevredenheid in haar ogen. Ze leek te denken dat hij iets heroïsch had gedaan door haar geliefde bezit terug te brengen.
'*Maw dan spee' Nell woo'vede hee' wan sei kom bangik,*' zei ze kalm.
'Het spijt me,' zei Lovell. 'We hadden hem niet van je weg moeten nemen.'
Ze stak de bijbel uit en bood die hem aan met een verlegen, onzekere lach. '*Enja spee Nell?*'
'Wil je dat ik je voorlees?' Hij nam de bijbel van haar aan en het boek viel open op een plek waar de oude rug opengeknakt was. Het was het begin van het Boek van Jesaja. Het vierde vers van het eerste hoofdstuk was met dik zwart potlood onderstreept.
'Wee het zondige volk...' begon hij langzaam. Terwijl hij las, sprak Nell met hem mee uit haar geheugen en volgde hem woord voor woord.
'*Uh son'eke nasie...*'
'De zondige natie, een volk beladen met ongerechtigheid...'
'*Uhfo'k lade' mit onrettikeit...*'
'Het gebroed van boosdoeners...'
'*Ut ke'boet fan boo'denes...*'
Hij keek op met samengeknepen ogen. '*Boo'dene...* Boosdoener,' zei hij. Acht regels uit de bijbel waren de Steen van Rosetta van Nell geworden. Ze waren niet alleen de sleutel tot haar taal, maar ook tot haar angsten en kwellingen.
'*Boo'dene,*' zei Lovell. 'Laat me *boo'dene* zien, Nell.'

Ze toonde weerzin, alsof het uitbeelden het verschijnsel zou opwekken.
'*Boo'dene doen auw Nell, reken.*'
'Laat me zien.'
Nell slikte moeizaam en vertrok haar gezicht in een strakke grimas, alsof er een schreeuw op haar gezicht bevroren lag. Ze strekte haar armen en nam Lovell erin, terwijl ze haar lippen likte en met haar ogen draaide.
'*Boo'dene hou'e fas inne g'eep,*' zei ze. '*Dan kom susse, susse an hai!*'
'*Zzzzzslit!*' Zonder waarschuwing sloeg Nell Lovell recht in zijn buik. Hij werd er volkomen door verrast en er zat genoeg kracht achter de klap om hem in elkaar te doen krimpen. Verrassender dan de klap was de uitdrukking op het gezicht van Nell. Het was een uitgesproken overdreven pantomime van... lust.
'Slaat de *boo'dene* je op deze manier?' Lovell nam Nell's vuist, trok die van haar weg en liet zich er weer door slaan. Hij wilde er zeker van zijn dat hij begreep wat ze hem vertelde.
Nell keek hem zwijgend aan, terwijl de knokkels van haar vuist nog steeds tegen zijn buikspieren drukten. Haar ogen werden groter en ze begon nu te fluisteren.
'*Tjik inne buik,*' zei ze.
'*Tjik?*'
'*Tjikke.*'
Nell pakte een keukenmes van de tafel en hield het met de punt naar haar navel gericht, terwijl het lemmet horizontaal wees. Lovell keek ernaar. Het beeld werd duidelijk. Violet Kellty, getraumatiseerd door seks, door mannen, had haar geringe kennis van seks en haar afkeer ervan aan Nell doorgegeven. Achter de deur leefden de boosdoeners, mannen met een razende lust, die vrouwen alleen begeerden vanwege één bepaald, pijnlijk, schandelijk doel.
Tegen de schemering keerde Paula naar de open plek terug. Lovell zat op het voordek van de woonboot op haar te wachten. Hij bekeek haar goed en zag haar keurige mantelpak, haar naaldhakken en de attachékoffer. Ze zag eruit als een rijke jonge effectenmakelaar die net in haar tweede huis op het platteland aankwam na een zware week op kantoor.
'Hoe was de markt vandaag?' vroeg hij met een scheef lachje.

'Of ben je op sollicitatiegesprek geweest?'
Olsen haalde een zware doos boodschappen uit de kleine kofferbak van de sportwagen. Hij had geen idee hoe dicht hij in feite bij de waarheid was. 'Alsjeblieft,' zei ze. 'Ik ben moe. Ik heb een heel lange dag achter de rug.'
Lovell nam de doos van haar over en Olsen trok haar schoenen uit en liep op kousevoeten naar de deur. 'Vertel me maar wat ik gemist heb,' zei ze.
'Je hebt heel wat gemist. Een nieuwe doorbraak.'
'Verdomme... Wat is er in godsnaam gebeurd hier?' Ze nam de puinhoop in haar kleine leefruimte op.
'Nell had haar bijbel nodig,' zei hij. 'Liever gezegd, ze had hem heel snel nodig.'
'Waarom?' Paula pakte twee blikjes bier uit de mini-koelkast en gooide er een naar Lovell.
'Ze ontdekte dat hij weg was en raakte van streek.' Hij trok het lipje omhoog en nam een teug.
'Is dat de doorbraak?'
Lovell schudde zijn hoofd. 'Alleen maar het begin. Ik ben er achtergekomen waar Nell zo bang voor is. Ik heb het geheim van de *boo'denes* ontrafeld.'
'Uh... Dat kon een doorbraak zijn. Zeg dan eens wie dat zijn?'
'*Boo'denes* zijn boosdoeners. En Nell werd verteld dat de mensen die dat zijn, slechte mannen zijn.'
'Is er nog een andere soort? Het lijkt mij dat Nell een erg waardevolle les heeft geleerd.'
'Erg grappig... Maar voor Nell bestaat er geen man die niet slecht is. Ik denk dat haar verteld is dat alle mannen monsters zijn. Als je naar de wereld keek door de ogen van Violet Kellty, dan zou dat tamelijk logisch zijn.'
'Voor Nell zijn alle mannen monsters,' zei Olsen. 'Behalve jij. Zit het zo?'
Lovell grijnsde. 'Ik ben geen man,' zei hij.
'O nee?'
'Hu-uh.' Hij schudde zijn hoofd. 'Heb je het niet gehoord? Ik ben Jerry *enke'tje*. Ik ben een engel.'
Olsen barstte in lachen uit. 'Nou,' zei ze, 'we weten nu tenminste dat ze gevoel voor humor heeft.'

16

Nell zat wiegend op haar bed zachtjes te neuriën, terwijl er een lach om haar lippen speelde. Lovell en Olsen zaten te praten terwijl ze haar op de monitor bekeken. Paula maakte aantekeningen en keek telkens van het scherm naar haar notitieblok, als een kunstenaar die een model schetst. Lovell observeerde en dacht na.

Het was een dag vol emoties geweest voor Nell. Haar stemming was gewisseld van enorme opwinding naar diep vertrouwen, maar nu leek ze kalm en ontspannen. De extreme emoties leken geen duidelijke wonden te hebben achtergelaten. Maar Lovell wist dat ze er waren, vlak onder het oppervlak, als een voortdurende bron van pijn.

'Veronderstel dat je enige intieme ontmoeting met mannen afschuwelijk geweld betrof. Verkrachting,' zei hij. 'Dan zou je je dochter toch vertellen dat alle mannen monsters waren?' zei hij. 'Dat zou toch het perspectief van Violet Kellty zijn?'

Olsen knikte. 'Hu-uh. Dat lijkt logisch. Dat soort trauma is vrijwel onmogelijk uit te wissen. Met therapie kunnen de gevolgen onder controle gehouden worden...' Ze lachte wrang. 'Maar Violet Kellty leek niet bepaald een kandidaat voor therapie, hè?'

'Nee. Ik denk dat ze Nell wilde beschermen. Violet wilde haar waarschuwen voor wat mannen iemand aan kunnen doen. Ik denk dat Violet Nell over verkrachting heeft verteld. Ik wed dat ze het er bij Nell in ramde tot ze zo bang was dat ze zelfs niet meer aan de wereld buiten de hut kon denken zonder hysterisch te worden.'

Olsen keek op van haar aantekeningen en tuurde een moment naar Nell. 'Heeft ze het haar verteld? Hoe?'

'Nou, Violet bleef wat vaag over de gebeurtenis. Ze zei "*Tjik inne buik.*"'

'En wat betekent dat?' Olsen sloeg haar woordenlijst op.

'Mes in de buik.' Hij legde zijn hand op zijn kruis. 'Het mes komt hieruit.'

'Heeft Nell je dat verteld?'
'Ja.'
'Denk je dat ze het ooit gezien heeft?' vroeg Olsen.
'Het echte ding? Nee, ik zou niet weten hoe. Violet liet haar niet naar buiten, niemand wist dat ze hier was.'
Lovell kon zien dat Olsen snel nadacht. 'Het zou alles kunnen zijn dat haar ervan weerhoudt overdag naar buiten te komen. Een opzettelijk veroorzaakte fobie.'
'Maar dat is niet logisch. Waarom zou ze overdag eerder verkracht worden?'
'Dat is ook niet zo,' zei Olsen. 'Maar overdag zal ze eerder gezien worden. En Violet wilde niet dat iemand Nell zag. Ze was de moederkloek bij uitstek die haar dochter wanhopig wilde beschermen tegen dezelfde verschrikking die zij had ondergaan, zelfs als dat inhield dat ze Nell haar hele leven moest verbergen.'
'Ja,' zei Lovell, terwijl hij naar het scherm keek. 'Daar doe ik het voor.' Hij vroeg zich af wie de verkrachter was, of die nog steeds leefde, en of hij enig idee had van het leed dat hij in twee onschuldige levens had teweeggebracht. Hij voelde een enorme kwaadheid opkomen.
'De gebruikelijke behandeling voor fobieën is blootstelling aan het object van die angst,' zei Olsen. 'En daarvoor moeten we iemand vinden die ze vertrouwt. Iemand die ze vertrouwt en die toevallig ook nog man is.' Ze lachte fijntjes.
'Blootstelling aan het object van de angst...?' Lovell realiseerde zich waar ze naar toe wilde. 'Je bedoelt dat je wilt dat ik...' Lovell bloosde licht. 'Hé, hé. Niet zo snel.'
'Wat een bescheidenheid... Wil je niet helpen?' vroeg ze op onschuldige toon.
'Ja, natuurlijk, maar...'
Olsen draaide haar hoofd schuin. 'Dit is een taak waar jij beter voor toegerust bent. Ik dacht dat je de gelegenheid wel te baat zou nemen om echt te kunnen schitteren.'
'O, ik snap het,' zei Lovell sarcastisch. 'Je wilt dat ik daarheen loop, mijn broek laat zakken en haar dan mijn...'
'Nee, natuurlijk niet,' zei Olsen snel.
'Dat is mooi, want ik kan geen betere manier bedenken om haar

gillend het bos in te doen rennen. We zouden haar nooit meer zien en ik zou van het ene op het andere moment van *enke'tje* een *boo'dene* worden.'

'Ik wist niet dat hij zo indrukwekkend was,' zei Olsen.

Lovell lachte. 'Ze zeggen dat de grootte er niet toe doet.'

'Is ook zo, met name in dit geval. Maar het zou een eenvoudige manier zijn om het ongemerkt in haar bewustzijn, haar begrippenarsenaal te laten binnendringen.'

'Echt waar? Ik ben reuze benieuwd hoe ik volgens jou het ijs moet breken.'

'Eenvoudig,' zei Olsen. 'Wacht maar tot vanavond, als ze gaat zwemmen.'

Niet lang nadat de schemering in duisternis was overgegaan keken Paula en Jerry vanuit de schaduwen toe hoe Nell uit de hut kwam en zonder een blik op de woonboot naar de steiger liep. Ze deed haar kleren uit en dook het water in. Ze verdween vrijwel zonder plons in de golven.

'Ik geloof dat dat je teken is,' fluisterde Olsen.

Lovell nam haar hand en trok haar naar de steiger toe. 'Kom,' zei hij. 'Ik wil dat je daar naast me staat.' Lovell droeg slechts een korte broek.

'Wil je een chaperonne?'

'Voor de verslaglegging.'

Ze zaten samen op de rand van de steiger en keken toe hoe Nell in het donkere water ravotte en dartelde. Ze leek niet verrast hen te zien. Het was de eerste keer dat ze naar haar toe waren gekomen terwijl ze aan het zwemmen was, maar ze toonde geen angst of verlegenheid omdat ze naakt was. Ze draaide zich om als een vis in het water en begon naar hen terug te zwemmen, terwijl haar huid gloeide door de schok van het koude water.

Olsen porde Lovell in zijn ribben. 'Nu is het een goed moment.'

Hij slikte eens flink. 'Moet ik haar waarschuwen?'

'Je moet het gewoon doen. Doe alsof het niets voorstelt.'

Lovell gniffelde. 'Geloof me nou maar, het stelt ook niets voor.' Hij trok zijn broek uit en ging geheel naakt aan het eind van de steiger zitten. Hij liet zijn benen bungelen en zijn tenen raakten net het kille water.

Nell stond tot op borsthoogte in het water en keek nieuwsgierig toe. Ze staarde naar Jerry's gezicht, liet haar ogen langs zijn lichaam gaan, over zijn blote borst, tot ze haar blik op zijn kruis liet rusten. Het leek even te duren voordat ze werkelijk naar zijn penis keek, maar toen ze zich realiseerde waar ze naar keek, viel haar mond open en bleef ze verrast staan staren. Daarna keek ze op naar Paula Olsen en wees, begerig om haar verbazingwekkende ontdekking te delen.

'*Kij*', *Pau'a! Missa pokie!*'

Olsen glimlachte. 'Ja, Nell. Ik weet het.'

Lovell gleed het water in en huiverde van de schok op het moment dat het ijzige water met zijn warme huid in aanraking kwam. Het water kwam tot aan zijn middel, maar Nell stond als een visser in het water te staren.

'*Nei tata, missa dibbetje. Wei inne tei'a feliss, jo'kee?*' Ze sprak zacht, alsof ze een klein, bang wild dier probeerde te kalmeren.

Op dat moment trof het Nell voor het eerst dat Lovell's lichaam anders was dan het hare. Nell boog zich naar voren en legde een zachte hand op het harde oppervlak van zijn borst en daarna op zijn tepel, terwijl ze het krullende haar eromheen streelde. Van daaruit ging haar hand onderzoekend verder, omhoog van zijn nek naar zijn kaak. Ze volgde de lijn ervan en kneedde het stoppelige vel.

Paula Olsen bekeek dit stille onderzoek en realiseerde zich plotseling met een schok dat ook zij weer het anders zijn, de schoonheid van het mannelijk lichaam ontdekte.

Nell richtte zich met grote verbaasde ogen tot haar.

'Dat heet een man, Nell.'

'Man,' zei Nell.

'Hij zal je geen pijn doen.'

Als om een bevestiging te vragen keerde ze zich weer om naar Lovell. Hij trof haar blik en voelde zich tamelijk lomp, maar was vastbesloten zich niet terug te trekken.

'*Skoo' sijt kij mij' lie'ste, a's Tirsa.*' Lovell noch Olsen realiseerde zich dat dit een regel was uit het Hooglied van Salomo.

Haar hand gleed van zijn kaak naar zijn wang, die ze begon te strelen. Ze gebruikte het gebaar dat hij vele malen tevoren had gezien. Zich ervan bewust dat dit een soort blijk van vertrouwen was, bracht hij zijn eigen hand naar haar wang en probeerde het gebaar te imiteren.

Nell's ogen vulden zich met geluk en ze draaide en kroelde onder zijn vingers als een kat. Daarop wierp ze zich in zijn armen en hield hem stevig vast, terwijl ze haar hoofd in zijn hals begroef. Lovell voelde de warmte van haar lichaam tegen het zijne en nam haar instinctief in een sterke omhelzing.

Paula Olsen voelde een plotselinge steek van jaloezie, een scherpe en diepe scheut.

Alsof ze uit een droom ontwaakte, onttrok Nell zich aan zijn omhelzing en snelde weg als een vis in het water. Lovell keek haar na, maar hij kon de plek op zijn rug voelen waar haar handen als het ware een brandwond hadden achtergelaten.

17

'Sommigen zouden zeggen dat het onethisch was,' zei Lovell. Hij had nu al zijn kleren weer aan en wreef met een handdoek zijn haar droog. Olsen had een fles wijn uit de koelkast gehaald en was bezig de fles te openen.
'Ik was best onder de indruk,' zei ze terwijl ze met de kurk worstelde. 'Ik zou het niet gedaan kunnen hebben.'
Lovell liet zich in een van de tuinstoelen onder het canvasdoek zakken en ademde zwaar uit. Hij probeerde nonchalant te doen over zijn ontmoeting met Nell, maar Paula kon zien dat het een emotionele ervaring geweest was. Hij leek vermoeid, uitgeput.
Paula trok de kurk uit de fles en schonk een glas wijn voor hem in. 'Er was moed voor nodig.'
'Meer dan jij beseft,' zei Lovell met een vermoeid lachje. 'Toen ik jonger was, had ik er een vreselijke hekel aan als iemand me naakt zag. Als ik de nacht met een meisje doorbracht, wachtte ik tot ze naar de badkamer ging en dan kleedde ik me snel uit en ging in bed liggen.'
'Dat doe ik nog steeds. Ik was ervan overtuigd dat ik de enige was.'
'Verre van dat.' Ze lachten allebei. Elke ervaring die ze deelden, leek nu aangenamer en veelbetekenender in het licht van de vijandigheid die er tot voor kort tussen hen bestaan had.
'Hoe komt het toch dat ze er in de film nooit problemen mee hebben hun kleren uit te trekken?' Ze nam een slokje wijn. 'Het lijkt alsof het hen niets kan schelen.'
'Ze doen het met hun kleren aan.'
'En op de keukentafel. Zoals Michael Douglas en Glenn Close in *Fatal Attraction*.'
Lovell corrigeerde haar direct. 'Nee, dat was het aanrecht. De keukentafel... Je denkt aan Jack Nicholson en Jessica Lange. *The Postman Always Rings Twice*.'
'Ben jij expert in seksscènes?' vroeg Olsen.
'Alleen maar een enthousiast liefhebber.'

'Heb je ooit een seksscène in een film gezien die je echt geloofde?'
Lovell knikte hevig. 'Absoluut.'
'Welke dan?'
'Debra Winger en Richard Gere in *An Officer and a Gentleman*. Kathleen Turner en William Hurt in *Body Heat*.'
'Er is er maar één die ik ooit heb geloofd. Julie Christie en Donald Sutherland in *Don't Look Now*. Ken je die? Die geloofde ik.'
'Dat was nogal makkelijk,' zei hij op de toon van een kenner. 'Ze hadden een verhouding toen die film gemaakt werd.'
Olsen schudde haar hoofd. 'Nee, dat is het niet. Weet je wat er zo geweldig aan die scène was? Ze waren getrouwd. Het was gepassioneerde seks in het huwelijk.'
'Ben jij getrouwd?'
'Doe ik alsof ik getrouwd ben?'
'Je zou ooit getrouwd kunnen zijn geweest,' zei Lovell schouderophalend. Het was het soort gebaar dat wilde zeggen: 'alles is mogelijk'.
'Nee,' zei Olsen op een overdreven quasi plechtige toon. 'Ik ben niet getrouwd noch ben ik ooit getrouwd geweest.'
'Heb je een vriend?'
'Nee.'
'Waarom niet?'
'Wat heeft dat met jou te maken?' vroeg ze op scherpe toon. Olsen was nu serieus.
Lovell krabbelde direct terug. 'Goed. Sorry.'
'Ben *jíj* getrouwd?'
Lovell knikte. 'Ik was getrouwd.'
Zijn huwelijk was na de dood van Annie op de klippen gelopen. Hij zat in een diepe depressie en het was een verschrikking met hem samen te leven. Zijn vrouw had geprobeerd hem eruit te halen, maar hij was recalcitrant geweest en had hardnekkig weerstand geboden aan elke poging om zijn somberheid te verlichten. Hij kon zijn vrouw nauwelijks kwalijk nemen dat ze hem verlaten had, maar het had wel zijn schuldgevoel verder vergroot.
'Heb je een vriendin?'
'Nee.'

'Waarom niet?'
'Ik denk dat het gewoon niet zover gekomen is.'
'Daar heb je het weer,' zei Olsen. 'Degene die je wilt, kun je niet krijgen. Degene die je krijgt, wil je niet. Jij hebt de wet van Lovell, en dit is de wet van Olsen.'
'Dus Nell is goed af, wellicht,' zei Lovell. Hij pakte de fles wijn. 'Mazzel voor haar. Misschien wel haar enige mazzel.'
'Bedoel je dat ze geluk heeft dat ze geen seks heeft? Of liefde?'
Lovell schudde zijn hoofd. 'Niet liefde. Nell weet alles over liefde. Dat is zeker.' Hij maakte het strelende gebaar van Nell in de lucht. 'Je weet dat wanneer ze dit doet...'
'Dan zegt ze dat ze van je houdt.'
'Dat denk ik ook.' Lovell was blij dat ze op één lijn kwamen te zitten.
'Dus ze is in staat tot diepgaande liefde en toch denk je dat ze geen seksleven heeft?'
'Ik denk niet dat ze er iets van afweet. Behalve "*Tjik inne buik*", wat nu niet bepaald de meest evenwichtige kijk is. En ik zou niet weten hoe ik haar denken zou moeten veranderen.'
'In het water deed je het goed.'
'Je suggereert toch niet...'
'Natuurlijk niet.' Olsen lachte, maar schoof ongemakkelijk heen en weer. 'Ik zeg alleen dat je de eerste stap erg gemakkelijk en slim hebt weten te zetten. Dat is alles.'
'Alles wat ze leerde was dat er een verschil was tussen mannen en vrouwen. Seks blijft een onbekend begrip.'
'Tja... Ze zal het ooit moeten leren.'

Billy Fisher was aan zijn zevende biertje toe die avond in Frank's Bar. De vaart zat er goed in; hij was nog niet dronken genoeg om comateus te zijn, maar hij had meer dan genoeg alcohol genuttigd om buitengewoon onaangenaam gezelschap te worden. Hij was niet alleen. Naast hem aan de bar zaten drie van zijn vrienden, Jed, Stevie en Shane, die net als Billy tegen de twintig waren en af en toe een baantje hadden voor het minimumloon. Geen van hen bezat veel hoop voor de toekomst, en daarom zochten ze hun toevlucht in een overvloedige bierconsumptie die tot een hoop lawaai leidde en als ze geluk hadden tot een vechtpartij. Daarbuiten was er weinig dat hun belangstelling had, behalve het wat rondlopen door de nauwe straten van Richfield of het te snel rondrijden met hun motorfietsen door maagdelijk bergachtig terrein.

Als Billy en zijn gezelschap een paar meter naar links hadden gekeken, dan hadden ze een tamelijk goed inzicht gekregen in hun uiteindelijke toekomst. De enige andere klanten in de donkere, vochtige bar waren een paar van de geregelde gasten, oudere mannen die hun volwassen leven vrijwel net zo als Billy en zijn maatjes begonnen waren. Er waren slechts acht andere mannen in de bar, van wie er vijf uit de plaats afkomstig waren. Ze waren lang geleden ontslagen door de hout- en mijnindustrie en schraapten nu een mager inkomen bij elkaar met aanvullende steun van de overheid en een mager pensioentje. Ze zaten over hun drankjes gebogen alsof ze baden om een keerpunt in hun bestaan, en veranderden alleen van houding om een slok bier te nemen of om naar de geluidloze wedstrijd van de Seattle Mariners op de tv boven de bar te kijken.

De drie andere mannen in Frank's Bar waren vreemden. Ze waren ouder dan Billy en zijn vrienden, maar minstens twintig jaar jonger dan de andere vaste klanten. Ze droegen allemaal spijkerbroeken en flanellen overhemden en hadden wandelschoenen aan, maar hun landelijke outfit kon hun stadse blik niet verbergen. Iedereen in Richfield die hen zou zien en die zich een mening over deze groep zou vormen, zou hebben aangenomen dat het een paar mannen uit Seattle waren die gingen wandelen en kamperen in de vrije natuur, en ze zouden volkomen gelijk gehad hebben.

Maar Billy Fisher zag de vreemdelingen of wie dan ook niet. Hij zette zijn bierglas met een klap op de bar. 'Wilde vrouw! Jie-hah!'

'Er is geen wilde vrouw,' zei Jed lusteloos.

'Ik zeg je toch, klootzak, dat het verdomme waar is.'

Billy goot zijn bier naar binnen en veegde zijn mond af met de rug van zijn hand. Hij boerde zo luid dat het wel een geweerschot leek.

Of het geweld van Billy's woorden of de kracht van de boer hadden blijkbaar indruk gemaakt op Jed. 'Heb je haar gezien? Heb je die wilde vrouw gezien, Billy?'

'Natuurlijk heb ik die gezien.'
'O, ja?' daagde Stevie hem uit. 'Wat is er dan zo godvergeten wild aan die vrouw?'
Het geven van een inzichtelijke beschrijving was niet Billy's sterkste punt. Hij haalde zijn schouders op. 'Ze is gewoon wild. Als een dier.'
'Dus ze heeft geen kleren, hè?' zei Shane met en wellustige blik. 'Ze kan niet wild zijn en kleren dragen. Een wilde vrouw moet spiernaakt zijn, weet je.'
Jed leek nu het leuke van het geheel te gaan inzien. 'Niet spiernaakt, Shane. Kutnaakt! Kutnaakt rondlopen in het bos!'
'Wilde vrouw!' loeide Shane. 'Jie-hah! Denk je dat ze als een hond neukt?' Hij hief zijn gezicht naar het lage plafond en blafte. 'Woef! Woef!' Hij stootte met zijn heupen tegen het verweerde hout van de bar als een reu tegen een teef.
'Wilde vrouw!' schreeuwde Billy Fischer.
Zijn metgezellen namen de oproep over.
'Wilde vrouw! Jie-hah! Woef! Woef!'
De plaatselijke gasten in de bar waren aan deze lawaaiigheid gewend maar ze wisten dat als ze klaagden, ze daarmee alleen Billy in de kaart speelden. Bezwaren zouden tot een eindeloze ruzie voeren die in een vuistgevecht kon escaleren. Daarom keken de oude mannen slechts vol walging toe en gingen door met drinken. Ondertussen deden ze net alsof ze zo in beslag genomen werden door het spel op tv dat ze het tumult dat de jongens maakten niet eens hoorden.
De drie vreemden leken echter geamuseerd over dit vertoon van landelijke bevlogenheid. Een van hen stond op en liep naar de herrieschoppers toe.
'Hoi,' zei hij minzaam.
Billy, Shane, Jed en Steve stopten hun geloei en staarden hem aan.
'Wat mot je,' gromde Billy.
'Zeg jij dat je een wilde vrouw in het bos gevonden hebt?'
Zijn maten keken naar hem, dus deed Billy zijn best zich een houding te geven en er uitdagend uit te zien. 'En wat zou dat?'
'Dan zou ik geïnteresseerd zijn,' zei de vreemdeling. 'Vertel eens over haar.'

Zelfs een jongen die zo dom was als Billy kon zien dat hij hier iets in zijn voordeel kon uitbuiten. 'Misschien doe ik het, misschien ook niet,' zei hij sluw.
De vreemde ging op een barkruk zitten en gebaarde naar barkeeper Frank. 'Geef eens een rondje hier.'
'Dat is beter.' Billy grijnsde terwijl Frank vijf flessen koud bier neerzette. Een rondje werd zelden gegeven in een bar als Frank's. 'Wie ben jij eigenlijk, trouwens?'
De man opende zijn portefeuille en schoof een visitekaartje over de bar. Billy pakte het op en keek er scheel naar, maar de vreemdeling vertaalde het voor hem.
'Mike Ibarra,' zei hij. '*Seattle Times*. Ik ben journalist.'

18

Als hij niet haar vriend was geweest, en een engel bovendien, zou Nell gedacht hebben dat Jerry Lovell zijn verstand verloren had. Hij zat op haar veranda naar haar te kijken met zijn tong uit zijn mond. Nell keek hem even aan en stak toen haar tong uit, alsof het om vergelding ging.

Het was voor Lovell niet eenvoudig te spreken terwijl zijn tong uit zijn mond hing. 'Goed. Kijk hiernaar.'

Hij pakte een stukje caramelpopcorn uit de zak die voor hem op tafel stond en legde het zoete snoepje midden op zijn tong, waarna hij het in zijn mond zoog.

'Hmmm,' zei hij, met zijn ogen rollend. 'Lekker...' Hij slikte de popcorn door en likte zijn lippen af. 'Goed,' zei hij. 'Nu is het jouw beurt.'

Nell had haar tong nog steeds uit haar mond hangen. Hij legde er een stukje popcorn op. 'Eet maar op,' drong hij aan. 'Het is lekker.'

Nell was er niet zo van overtuigd. Haar ogen draaiden in hun kassen en ze begon te loenzen terwijl ze probeerde het stukje op haar tong te zien.

'Je zult het lekker vinden,' zei Lovell. 'Toe maar...'

Ze trok haar tong terug in haar mond en hield de popcorn daar, alsof ze probeerde te voorkomen dat het de binnenkant van haar wangen zou raken. Maar toen de popcorn begon te smelten, werden haar smaakpapillen getroffen door de zoete smaak en haalde ze diep adem, bijna overmeesterd door de intense, heerlijke sensatie. Het was het eerste dat ze ooit had geproefd, buiten de saaie pap en af een toe een glas verse melk. Haar ogen flonkerden van plezier. Ze stak haar tong weer uit, klaar voor meer popcorn.

'Zie je, ik zei je toch dat je het lekker zou vinden.' Maar hij was niet van plan haar meer popcorn te geven, tenminste niet voordat hij er iets voor terug had gekregen.

Lovell stond op van de tafel en liep achterwaarts naar de bovenste trede. Hij stak zijn hand uit en liet haar de lekkernij zien.

Nell volgde hem, nog steeds met uitgestoken tong, en bleef staan omdat ze verlegen was, maar Lovell beloonde haar niettemin met wat popcorn.
'Goed. Zover zijn we in elk geval.' Lovell liep de drie treden af naar de grond en bleef staan. 'Kom op, Nell,' drong hij aan. 'Kom naar beneden, dan krijg je nog wat.' Hij hield uitdagend een hele handvol popcorn uit.
Maar Nell bleef staan waar ze was, boven aan de trap. Hij kon zien dat ze graag wat meer popcorn wilde. Als een klein kind snakte ze ernaar met haar hele lichaam en ziel. Ze keek het veld rond en tuurde achterdochtig naar het heldere daglicht.
'Niemand zal je pijn doen,' zei Lovell. 'Kom naar beneden, dan krijg je nog wat.'
'*Liefi'e Je'y. Liefi'e, liefi'e Je'y,*' dreinde ze. Nell sprong op en neer en stampte met haar voet als een klein kind. '*Ooo-oooooh! Willet-willet-willet-willet.*'
'Kom, dan krijg je het.'
Nell keek er verlangend naar. Opeens verzamelde ze al haar moed en rende het veld op, hield plotseling in en wierp zich op Jerry. Ze griste een handvol popcorn uit de zak en rende terug naar de veilige trap. Ze liet zich op de planken van de veranda vallen, propte de popcorn in haar mond en begon te kauwen. Haar wangen waren rood en haar hart bonkte, maar Lovell zag tot zijn vreugde dat ze een ontmoeting met de boosdoeners van het daglicht wilde riskeren om van haar zojuist ontdekte passie te genieten.
'Kijk,' zei hij. 'Geen *boo'denes* hier. Alleen ik.'
Nell slikte hevig en likte haar lippen af, begerig naar meer. Ze volgde elke beweging van Lovell met haar ogen.
'Goed, nu gaan we iets anders proberen.' Lovell legde ongeveer een meter van de onderste trede een hoopje popcorn in het gras, draaide zich om, liep een paar meter en legde nog een hoopje neer. Hij deed dit langs het hele pad dat naar de waterkant leidde. Hij ging op de trede zitten en wachtte.
Het duurde even, maar Nell kroop toch weg van haar vluchtheuvel, weg van de veilige hut, telkens stoppend om de zoete lekkernij op te pakken. Elke keer dat ze bleef staan, draaide ze snel haar hoofd naar links en naar rechts. Ze keek als een waakzaam dier rond voor ze knielde.

Terwijl ze midden op het pad stond, verorberde ze de popcorn. Ze keek naar de volgende hoopje terwijl ze zich afvroeg of ze de moed had om een stukje verder te lopen om het op te pakken.
Lovell en Olsen keken een half uur lang aandachtig toe hoe Nell zich over het pad voortbewoog. Ze bewoog zich wat sneller toen ze het einde van het pad naderde, als een koorddanser die het veilige einde nadert.
Lovell zag hoe tevreden ze was, blij dat zijn eenvoudige plan zo goed had gewerkt. 'Wat heb ik je gezegd? Ze is erdoor uit die hut gekomen.'
'Dat is het eenvoudige deel,' zei Olsen. 'Het zal moeilijk zijn haar buiten te houden.'
'Ze heeft plezier. Ze heeft popcorn ontdekt. Nu kan ze naar de film.'
Nell was nog nooit eerder zo dicht bij de boot geweest. Ze had het gevoel dat ze haar eigen territorium had verlaten en het domein van vreemden had betreden. Ze bleef een stukje buiten de cirkel staan treuzelen, terwijl ze met een blije lach de laatste popcorn kauwde. Maar ze was verlegen en bedeesd, alsof ze er niet helemaal van overtuigd was dat ze welkom was.
'*Nei tata, reken?*' vroeg Lovell.
Nell schudde haar hoofd. Ze was niet langer bang, maar ze was duidelijk verbaasd dat ze het uiteindelijk aangedurfd had voor het eerst uit de hut te komen terwijl het dag was.
'*Sei alo'lek*,' zei ze. Ze keek op, zag de felle zon hoog aan de hemel en hief haar armen op alsof ze hem wilde omarmen. Ze draaide zich in pure vreugde om haar as. Daarna begon ze te zingen met een hoge, blije stem.
'*Crazy... A crazy fo' fee'in' so lone'ey... Ah crazy, crazy fo fee'in so blue...*'
Nell had een lichte, zilveren zangstem, maar het ongelooflijke was dat ze zich het lied, dat ze slechts eenmaal had gehoord, volmaakt herinnerde.
'Dat is verbazingwekkend,' zei Lovell. 'Ze herinnert zich elk woord, een voor een.'
'Buitengewone geheugenprestaties zijn soms een kenmerk van autisme bij adolescenten en volwassenen,' zei Olsen.
Lovell lachte. 'Hou op, Paula. Wees voor één keer eens geen wetenschapper.'

Olsen lachte schaapachtig. 'Ik kan het niet helpen. Je hebt gelijk. Het spijt me.'
'*Crazy...*' zong Nell. '*Ah crazy do' thi'kin I co'ho you...*'
'Ze vindt het prachtig,' zei Olsen. 'Die muziek betekent heel veel voor haar.'
'Als ze dit al mooi vindt, dan moet je eens kijken als ze dit hoort!' Hij verdween in de boot en keerde een moment later terug met de cd-speler. 'Hier!'
Hij legde de cd in het apparaat en na enkele seconden klonk de stem van Roy Orbinson uit de luidspreker.
Nell draaide in het rond op het ritme van de muziek, bedwelmd door alle nieuwe gevoelens, overmand door het licht, de ruimte en de melodie, en ook door de zoete smaak die op haar tong was achtergebleven. Lovell en Olsen keken als trotse ouders toe hoe Nell over het veld wervelde. Alle gedachten aan gevaar onder de zon waren verdwenen en ze danste vol blijdschap.
De stem van Roy Orbinson vulde de omgeving.
Nell sloot haar ogen. Het zonlicht leek intenser te worden en in een kleurige uitbarsting door haar oogleden heen te stralen; de muziek werd luider en vulde haar hoofd. Olsen en Lovell hielden op te bestaan.
En in haar geest kon Nell de tweelingzusjes zien. Ze draaiden met ineengeslagen armen rond, ze staarden in vervoering in elkaars ogen, lieten zich wegvoeren door het lied.
In de ogen van Olsen en Lovell leek Nell geheel op te gaan in de muziek. Ze draaide steeds maar rond, sprong rond op de maat van de muziek en maakte achterwaartse spiralen over het pad. Ze keek even op, net lang genoeg om een trotse, aandachtige blik te kunnen tonen. Toen ze weer naar haar keken, was de muziek opgehouden. De stem van Roy Orbinson stierf langzaam weg.
Lovell keek op en knipperde met zijn ogen. 'Waar is ze heen?'
Nell was verdwenen, alsof ze was weggevoerd door de wegstervende tonen van het lied.

19

Zonder er ook maar een moment over na te denken, begon Jerry Lovell te rennen en dook het struikgewas in, achter Nell aan. Olsen kwam ook mee en samen baanden ze zich lukraak een weg door het bos. Ze wisten heel goed dat Nell de weg wist in het bos, maar ze dachten dat ze in het daglicht een goede kans hadden haar te pakken te krijgen.

Maar op een of andere wijze ontsnapte ze hen weer. Ze waren een heuvel opgeklommen, een helling die vol bomen en struiken stond, een helling die over het veld en het meer erachter uitkeek. Lovell's borst ging hevig op en neer terwijl hij naar adem stond te snakken.

'Verdomme! Verdomme, verdomme, verdomme!' Hij zwaaide met zijn vuisten in de lucht. Zowel Olsen en Lovell waren er buitengewoon nieuwsgierig naar geworden waar Nell naar toe ging op haar expedities het bos in. Olsen maakte zichzelf wijs dat het een belangrijk deel van de puzzel Nell was, dat er tot ze wisten waar ze heen ging en waarom, een witte plek in haar psychologisch profiel zou zijn.

Lovell was eveneens nieuwsgierig, maar hij was er meer geïnteresseerd in te weten waar ze heen ging omdat hij haar daardoor gewoon beter zou leren kennen dan nu. 'We zijn haar kwijt. Verdomme!'

'Ssst!' Olsen tuurde in de bosjes en luisterde aandachtig met gebogen hoofd. Verder op de helling, op een afstandje, hoorde ze een geluid; het knappen van een tak, gevolgd door een vage witte schim.

'Ze is daarboven,' fluisterde ze.

'Waar?'

'Daar.' Olsen wees naar de kam van de heuvel. 'Kom mee.'

Ze begaven zich in de richting van het geluid en bewogen zich deze keer langzamer, in een onhandige poging haar te betrappen. Het begon Olsen te dagen dat Nell wel eens zou kunnen willen dat ze haar ditmaal volgden. Ze wisten dat ze zich in het donker onopgemerkt door het bos kon bewegen, maar ditmaal had ze hun een aanwijzing gegeven, hun een helpende hand geboden toen het spoor plotseling doodliep. Het was alsof Nell had besloten dat ze bereid was hen een groot mysterie toe te vertrouwen, maar ze zouden voor de oplossing ervan wèl hun best moeten doen.

Ze zweetten beiden toen ze de top van de helling bereikten. De klamme lucht onder de lage takken van de dennebomen plakte op hun vochtige huid. Ze waren ver landinwaarts gelopen, bij het meer vandaan en keken uit over een diepe inzinking in het landschap, een nauwe kloof die door een bergbeek vol keien doorsneden werd. Deze verborgen vallei lag afgelegen, nog verder afgelegen dan het meer, onbedorven door de mens, prachtig. Er heerste hier een serene rust, het soort stilte dat bijna voelbaar was, een kalmte die zo vredig was dat die hoorbaar was.

De rivier stroomde meer dan zevenhonderd meter onder hen, maar toch konden ze het water duidelijk horen ruisen; geluid droeg ver op een windstille zomerdag als vandaag. Lovell sloot zijn handen om zijn mond en riep.

'Nell!' Zijn stem rolde door de stilte, maar er kwam geen antwoord, zelfs geen echo.

Ze begonnen voorzichtig hun weg naar beneden te zoeken, telkens wegglijdend en vallend op plekken waar ze op de steile helling hun houvast verloren, en zonder goed te weten waar ze heen gingen. Maar ze bewogen zich zonder haast en stopten halverwege om te rusten. Lovell keek uit over de onmetelijke wildernis die zich voor hem uitstrekte. Vanaf de plek waar ze stonden tot aan de horizon was het landschap een stil panorama van dennebomen, door geen weg of gebouw onderbroken. Er hing een gevoel in de lucht, een besef dat geen vreemde deze plek ooit eerder had gezien.

'Dit is gekkenwerk. Ze kan overal wel zijn.' Iets in het panorama zorgde ervoor dat Lovell op fluistertoon begon te spreken.

'Nee, ze is hier.'

'Hoe weet je dat? Waarom ben je daar zo zekere van?'

'Als ze nog verder liep, zouden we dat horen...' Ze glimlachte. 'Trouwens, ze wil dat we hier zijn.'

'Wìl dat we hier zijn?'
Olsen knikte. 'Ze laat toe dat we haar zien. Ze had dat niet hoeven doen.'
'En waar is ze nu dan? Ik denk dat het beter is naar de hut terug te gaan en daar op haar te wachten.'
Paula zuchtte en haalde haar schouders op. Ze wilde niet graag opgeven nu ze eenmaal zo ver gekomen waren, maar ze draaide zich toch om en samen begonnen ze de heuvel weer te beklimmen.
Daar stond Nell, doodstil tussen de bomen. Ze leek uit het niets tevoorschijn te zijn gekomen. Ze waren kort geleden langs de plek gekomen waar ze nu stond en hadden niets gezien, geen enkel spoor van haar. Ze had een bos wilde bloemen in haar hand.
'Je'y dan kom kei' Mi'ie, reken?'
Lovell wilde antwoorden, maar Olsen hield hem tegen en ging op het moment dat hij zijn mond opende voor hem staan. 'Waar is "mij", Nell? Laat me zien waar mij is.'
'Mi'ie inne missa feliss.'
Olsen keek verbaasd. 'Wat zei ze?' Lovell sprak Nell's taal beter.
'Eh... Ik denk dat het iets is zoals "mij is op een gelukkige plek". Dat denk ik.'
'Welke gelukkige plek, Nell? Wil je die laten zien?'
Nell knikte en schoot weg tussen de bomen. Ze bewoog zich snel en met zekere tred op de helling en even dachten Lovell en Olsen dat ze wegrende en probeerde hen kwijt te raken. Maar nadat ze een paar meter had gelopen stopte ze en keek over haar schouder, alsof ze hen uitnodigde haar te volgen.
Op het punt waar de helling het steilst was, verdween Nell weer, maar deze keer glipte ze door een spleet in de heuvel, een achter struiken verborgen scheur in het gesteente. Het was een hoge, smalle spleet en voor een man van het formaat van Lovell was het niet gemakkelijk zich erdoor te wringen, maar hij drukte zichzelf naar binnen, waarbij het harde gesteente zijn kleding scheurde.
Binnenin werd de kloof breder en ruimer. Het was er aardedonker, maar Lovell wist dat hij in een soort grot was, een diepe spleet in de rots.

'Nell?' Zijn stem kaatste terug van de wanden van de grot. Paula Olsen kroop door de opening en ging naast hem staan. Ze wachtten beiden tot hun ogen aan het duister gewend waren.
Nell zat bij de achterwand van de grot, waar het schuivende oergesteente een lange horizontale spleet had gevormd, een soort natuurlijke richel.
'*Dibbe Mi'ie. Sussene, sussene awtei*'.' Nell's stem klonk zacht en kalm.
Hun nachtblindheid was nu zo verminderd dat ze het voorwerp konden herkennen dat Nell naar deze plek had gevoerd. Op een natuurlijke richel in het gesteente, als in een catacombe, lag een volledig maar klein skelet, de resten van een kind.
'Mijn god,' bracht Olsen uit.
In de oogkassen van de schedel had Nell de wilde bloemen gelegd, witte bloemblaadjes en gouden hartjes. Ze leken eng veel op ogen.
Olsen en Lovell staarden er zwijgend naar. Ze wisten niet goed wat ze met dit bizarre tafereel aan moesten. Nell leek volledig op haar gemak in de buurt van het skelet. Ze stak haar armen uit en streelde de uitgedroogde jukbeenderen van de schedel.
'*Dibbe Mi'ie*,' zei ze.
Lovell probeerde haar formulering letter voor letter te volgen. '*Mi'ie*.'
Nell lachte blij. '*Mi'ie dan wande' mette hee*.'
'*Mi'ie* wandelt met de Heer,' vertaalde Lovell.
'*Mi'ie feliss awtei*'.' Nell keek Lovell aan ter bevestiging. '*Reken?*'
'*Reken*,' zei hij met een hoofdknik.
Nell draaide zich weer naar het skelet en keek erop neer. Ze streelde de ingevallen jukbeenderen als een moeder die een slapend kind geruststelt. Het was duidelijk dat het skelet voor Nell nog altijd een levend persoon was, een mens met wie ze nog steeds een diepe en levendige band had. Nell bewoog zich lange tijd niet en richtte zich in diepe concentratie volledig op het skelet. Na enige tijd keek ze op en lachte weer, waarna ze naar de spleet in de rots begon te lopen.
Na de duistere grot voelde de zon op hun huid warm aan en genoten ze van de frisse lucht. Ze knipperden in het felle licht en liepen gedrieën terug door het bos, waarbij Nell de weg aangaf,

alsof ze een gezin waren dat op een zondagmiddag een wandeling maakt.

Paula besteedde de rest van de dag grotendeels aan het doornemen van haar verzameling banden. Ze stopte bij elk moment waar Nell op haar eigen beeld in de spiegel reageerde. Tot de ontdekking van het skelet had Olsen aangenomen dat Nell zichzelf in twee personen had opgedeeld, een subjectief zelf en een objectief zelf; dat ze één persoonlijkheid had verplaatst en deze in de spiegel had geprojecteerd. Het ene zelf, haar lichamelijke gedaante, was Nell. Het beeld in de spiegel was een andere kant van haar: Mi'i.

Maar nu begon het haar duidelijk te worden dat de waarheid eenvoudiger was dan dat.

Toen ze naar het veld terugkeerden, leidde Nell hen de hut in, alsof ze hen graag iets wilde laten zien. In de slaapkamer opende ze een kist en trok er wat kleren uit, oude jurken en schoenen, kledingstukken voor kinderen.

'Twee overgooiers,' zei Paula. 'Twee truien. Twee paar sandalen... Een tweeling.'

Nell hield een van de jurken omhoog tegen haar gezicht en kuste het oude, versleten materiaal. '*Mi'ie.*'

'Ze hebben alles bewaard,' zei Paula. 'Het is wel wat luguber.'

Nell genoot van de klank van het woord. 'Lugube',' herhaalde ze.

'Nee. Het is niet luguber,' zei Lovell. Hij liefkoosde de jurk, Nell's liefkozende pantomime imiterend. '*Nell... Mi'ie, reken?*'

Nell knikte hevig. '*Mi'ie.*'

'Denk je dat ze niet begrijpt dat ze dood is?' vroeg Paula.

Lovell haalde zijn schouders op. 'Ik weet het niet. Ze zei dat haar tweelingzusje met de Heer wandelt. '*Nell... Mi'ie wande' mette hee'?*'

Nell staarde hem aan, terwijl haar gelaat versomberde, en knikte langzaam.

'*Mi'ie dan ka, fo' awtei'? Mi'ie dan ka, fo' awtei'?*' vroeg Lovell.

Nell schrok en begon krachtig met haar hoofd te rukken, alsof ze Jerry Lovell's woorden verwierp.

'*Mi'ie ress mit Nell,*' zei ze treurig.

'Haar tweelingzusje is bij haar,' zei Lovell. 'Het is alsof ze nooit gestorven is.'
Maar Nell liep achteruit van hen weg en pakte de spiegel, terwijl ze steeds verdrietiger werd. '*Mi'ie nei ka!*' hield ze vol. '*Mi'ie ressa Nell!*'
Lovell deed zijn best haar te kalmeren. 'Goed, Nell. Het spijt me. Ik wilde je niet...'
Maar Nell luisterde niet naar hem. Ze drukte haar hoofd tegen het glas en kreunde treurig. Uit het gekreun vormden zich woorden, die ze steeds weer herhaalde.
'*Kei'en mei en mei'en kei... Kei'en mei en mei'en kei...*'
Lovell en Olsen keken hulpeloos naar haar verdriet.
'Fout,' zei Lovell. 'Sorry, ik wist het niet.'
'Zij weet het wel,' zei Olsen. 'Ze wil het alleen niet loslaten.'

Paula ging terug naar de woonboot en speelde steeds weer de banden af, waarbij ze elke verwijzing naar '*mi'ie*' optekende.
'Dat skelet was haar zuster en Nell heeft haar wezen in de spiegel geprojecteerd. Als ze haar zuster niet in lichamelijke gedaante kan hebben, dan houdt ze in feite de geest van het kind levend.'
Op het videoscherm raakte Nell haar eigen beeld in de spiegel aan; ze streelde de wang. '*Mi'ie*,' mompelde ze.
Lovell keek naar haar ogen en zag hoe ze bijna door het glas heen brandden. 'Het is haar eeneiige tweelingzus,' zei hij. 'En voor Nell is ze werkelijk daar. Nell kan haar zien, daar aan de andere kant van de spiegel.'
'Tweelingen maken hun eigen taal,' zei Olsen. 'Dat komt heel vaak voor. Alsof ze op een soort eigen geestelijke golflengte zitten.'
'Ze praat nog steeds tegen haar. Het lijkt alsof ze nooit gestorven is,' zei Lovell. Hij voelde iets van medelijden met Nell. Alleen in een wereld die ze niet begreep, had ze een vriendin geschapen, haar zuster, iemand van wie ze wist dat ze die kon vertrouwen. 'En die naam, *Mi'ie*. Dat is niet "mij", in de zin van haarzelf. Ik heb gemerkt dat Nell moeite heeft met de l en de m als ze middenin een woord voorkomen.'
'Kan het Milly of Mimi zijn?' zei Olsen.

'Daar komen we waarschijnlijk nooit achter. Maar ze leeft, nietwaar?'
Olsen knikte. 'Kijk, Nell leeft in een eigen wereld, letterlijk.'
'Dat begin ik me te realiseren.'
'Ik vraag me af hoe ze gestorven is,' zei Olsen. 'Het zou handig zijn als we dat skelet naar een laboratorium zouden brengen...'
Lovell vertrok zijn gezicht. 'Dat zou ze nooit begrijpen. Voor Nell zou dat gelijk staan aan ontwijding. Die grot is een heilige plek voor haar. Ze is waarschijnlijk nog steeds van streek omdat haar moeder, *Maw*, van haar weggenomen werd.'
'Tja... als we erachter willen komen wat hier gebeurd is, dan zullen we de zaken toch een beetje moeten verstoren.'
Lovell ging in een stoel naast Olsen zitten en keek haar strak aan. 'Ik dacht dat we hetzelfde begonnen te denken,' zei hij. 'Ik dacht dat we allebei het beste voor Nell wilden. En dan probeer jij zoiets als dit. Ik zou graag zien dat je een beslissing nam. Ben je een vriend of een vijand?'
Olsen voelde zich kwaad worden. 'Zo eenvoudig ligt dat niet en dat weet jij ook. Nell is niet een of andere bedreigde diersoort, weet je, een zeldzame vogel die je moet beschermen.'
'Zeldzaam? In hemelsnaam zeg, ze is uniek in haar soort.'
'Ze is een mens. Een van de miljarden.'
'Ze is uniek.'
Olsen lachte sarcastisch. 'We zijn allemaal uniek, dokter. Iedereen is anders, op zijn eigen manier.'
'Ik baal ervan als je overstapt op dat academische taalgebruik.'
'En ik baal ervan als jij je op zo'n hippie-achtige alles-is-zo-prachtig-manier gedraagt.'
'Goed. Luister: als jij probeert dat skelet weg te halen, dan val ik je de rest van je leven lastig voor het gerecht. Wat denk je daarvan?'
'Krijg wat, Lovell.' Ze keek op haar horloge en begon aantekeningen en videobanden in haar attachékoffer te stoppen. 'Ik kom nog te laat.'
'Te laat?' Lovell keek verbaasd. 'In Richfield is nooit iemand te laat.'
'Niet hier,' zei Olsen kortaf. 'Seattle.'

Paula Olsen was laat, maar niet bijzonder laat. Ze reed op topsnelheid over de bergwegen en haar rit werd slechts vertraagd door een zomers onweer, een wolkbreuk die de snelweg tussen Everett en de buitenwijken van Seattle trof. Doordat ze door de gangen van het ziekenhuis gerend had, kwam ze buiten adem bij het kantoor van Paley aan. Ze wachtte even om tot rust te komen voor ze de deur opende en naar binnen stapte.
Paley bestudeerde zwijgend de stapel papieren, de aantekeningen en veldprofielen die ze had verzameld en luisterde terwijl Paula hem stap voor stap in kennis stelde van de meest recente ontdekkingen. Het kostte haar moeite geen opwinding in haar stem te laten doorklinken.
'Ik kan het niet met zekerheid zeggen zonder analyse van de schedel, maar ik zou denken dat het de resten zijn van een kind, vrouwelijk geslacht, en ongeveer tussen zes en tien jaar oud.'
'Waarom zouden we de schedel niet onderzoeken?' vroeg Paley, zonder zijn blik van de voor hem uitgespreide papieren af te wenden.
'Dat zou gevaarlijk zijn.'
'Gevaarlijk? Waarom?'
Olsen meende dat ze de naam Jerry Lovell beter niet kon noemen, maar ze gebruikte zijn argumenten wel. 'Mogelijk een diep trauma voor Nell. Het kan alle vertrouwen dat we tot nu toe hebben verkregen te niet doen. Het zou op dit moment riskant zijn.'
Paley knikte grommend.
'Als het kind gestorven is tussen zes en tien jaar, dan hebben we het over minstens twintig jaar tussen de dood van het tweelingzusje en nu. Al die tijd is haar taalontwikkeling stil blijven staan. En misschien ook haar emotionele ontwikkeling.'
'Een kind van dertig,' merkte Paley op. Hij bleef door de papieren bladeren.
'Ze is van mijn leeftijd. Ik kon haar tweelingzusje zijn.'
Paley duwde zijn bril naar het puntje van zijn neus en keek haar over de glazen heen aan. 'Communiceert ze met jou op dat niveau? Behandelt ze je als een zus?'
'Nee.' Ze keek fronsend. 'Het is zelfs zo dat ze beter op dokter Lovell reageert dan op mij.'

'Hij weer,' gromde Paley.
'Hij is zeker behulpzaam geweest.'
Paley richtte zijn aandacht weer op de aantekeningen. 'Dit is erg goed, Paula. Erg goed.' Hij glimlachte even naar haar op zijn vaderlijke manier. 'Dit verdient een juiste behandeling...'
'En wat is een "juiste behandeling"?'
'Ik ga een speciale eenheid opzetten voor Nell, ter plekke. Ik wil de volledige controle over haar omgeving hebben. Ik wil elke *input*, elke stimulus, elke reactie registreren. Dat heeft nog nooit iemand gedaan. Dat realiseer je je.'
'Ja.' Olsen wist niet zeker of ze wel wilde dat dit nu gebeurde. Ze had visioenen van hordes wetenschappers en onderzoekers die over Nell's terrein banjerden en haar huis binnendrongen zonder te letten op de kwetsbaarheid van de omstandigheden waarin ze verkeerde, zowel geestelijk als lichamelijk. Of erger nog, Paley kon wel eens besluiten haar weg te halen, om Nell naar de kliniek zelf te brengen. Er schoot een grimmig, levendig beeld door haar heen: Nell opgesloten in een van de kleurloze observatiekamers in het instituut, onderworpen aan de meedogenloze onderzoeken van achter het eenrichtingglas. Paula kon zich de verdoofde, levenloze blik in Nell's ogen voorstellen.
Paley was zich in het geheel niet bewust van Olsens twijfels. Hoe hevig hij het ook ontkende, Nell was voor hem geen persoon. Ze was een onderzoeksobject, een fascinerende psychologische bron die hij beslist wilde exploiteren.
'We zullen een thuis voor haar maken,' zei Paley, die warm begon te lopen voor zijn onderwerp. 'Een gezin. Ergens waar ze veilig kan opgroeien.'
'En hoe zit het met Jerry Lovell?'
'Wat is er met hem?'
'Hij is nogal aan Nell gehecht.'
'Des te meer reden haar van hem weg te halen.' Hij lachte vaag.
'Heb je al uitgevonden waardoor zijn carrière verzand is?'
Olsen aarzelde maar heel even voor ze besloot te liegen. 'Nee,' zei ze. 'Het is niet ter sprake gekomen.'
'Het zou interessant zijn te weten wat er gebeurd is. Het zou ons wat vertellen over het type man waar we mee te maken hebben.'
Olsen had hele verhandelingen voor hem kunnen houden over

het type man waar ze mee te maken hadden, maar ze besloot haar mond te houden.
Paley leunde achterover in zijn bureaustoel. 'Hij is een softie, hè?' Hij leek bijna geamuseerd, alsof hij ernaar uitkeek Lovell uit Nell's leven te verdrijven. 'Hij is een rat die uit de *rat race* is gestapt omdat hij een muis bleek te zijn. Zoiets dergelijks, volgens jou?'
'Ik zou het niet weten,' zei Olsen met een zuinig mondje. Ze begon een hekel te krijgen aan professor Paley.

20

Mike Ibarra parkeerde zijn auto aan het begin van het bospad dat naar het meer leidde en liep de rest van de weg naar het open veld. Hij sleepte een zware tas vol fotospullen mee. Na het beklimmen van de laatste helling zag hij het meer, de hut en de woonboot voor zich liggen. Het was een prachtige plek, maar niet de wildernis die het volgens Billy Fisher absoluut was. Ibarra begon te denken dat er geen verhaal in zat, dat Billy Fisher dit verhaal van een wilde vrouw alleen had opgedist om een paar rondjes voor hem en zijn maten te versieren.
Ibarra schudde zijn hoofd en stopte even om een paar foto's te maken – voorzover hij wist, woonden wilde vrouwen gewoonlijk niet op woonboten – en sjokte de helling af naar de hut.
Hij liep het trappetje naar de veranda op en klopte op het ijzer van de hordeur, terwijl hij het schemerige interieur in tuurde.
'Hallo? Is er iemand thuis?'
Er kwam geen antwoord; het was doodstil in huis. Hij aarzelde een moment, opende de hordeur en stapte naar binnen.
Ibarra keek naar de ouderwetse inrichting, het eenvoudige meubilair. Wat dit stuk betreft had Billy Fisher tenminste wel gelijk gehad.
'Van alle gemakken voorzien,' fluisterde hij. Hij nam een blocnote uit zijn achterzak en maakte snel een paar notities.
Terwijl hij er met zijn rug naar toe stond, ging de deur naar Nell's slaapkamer op een kier. Ibarra hoorde het zachte gepiep en draaide zich om. Hij zag hoe Nell door de smalle spleet naar hem stond te kijken, met een mengeling van angst en nieuwsgierigheid op haar gezicht.
Ibarra probeerde zijn verrassing te verbergen. 'Hallo,' zei hij breed lachend. 'Ik klopte maar dacht dat er niemand thuis was. Sorry dat ik zo binnengevallen ben.' Hij kwam met uitgestrekte hand enkele passen op Nell af. 'Ik ben Mike Ibarra. Ik ben journalist. *Seattle Times*.'
Nell bleef hem aankijken, maar reageerde niet op zijn woorden.

Ze vertrok geen spier. Ibarra meende dat dit de wilde vrouw moest zijn, en ook al was ze niet helemaal wat hij op grond van Billy Fishers beschrijving had verwacht, ze zag er zeer zeker vreemd uit. Hij hield zijn camera omhoog voor haar.
'Is het goed als ik een foto van je maak?' Hij kwam wat dichterbij en bracht de zoeker voor zijn gezicht.
Nell's nieuwsgierigheid leek het van haar verlegenheid te winnen en ze stak haar hoofd om de deur, terwijl ze in de lens staarde. Ze zag zichzelf tot haar schrik gereflecteerd in het bolle oog van de camera. Ibarra stelde scherp en drukte af. Het felle flitslicht zette Nell plotseling in een helder wit licht. Ze sprong naar achteren en huiverde even terwijl ze naar de rode vlekken keek die voor haar ogen dansten en sprongen.
Nell gilde, een schreeuw die met paniek en angst gevuld was. '*Jaah! Hai! Hai! Zzzzlit!*' Ze sloeg de deur dicht en Ibarra kon haar de kamer rond horen rennen, terwijl ze steeds harder gilde.
Het was moeilijk te zeggen wie er banger was. Mike Ibarra deinsde terug van de deur. 'Hé... Nee... Het is al goed,' stamelde hij. 'Ik wilde je niet bang maken... Alsjeblieft. Hou alsjeblieft op.'
Zijn woorden leken het tegenovergestelde te sorteren van het beoogde effect. Hij voelde opeens een sterke hand op zijn schouder. Lovell sleepte de journalist de hut uit en gooide hem de trap af. Ibarra kwam op de grond terecht en zijn camera en uitrusting vlogen in het rond. Lovell stond over hem heen gebogen als een engel der wrake.
'Als je haar pijn doet, dan ben je er geweest, knaap!' Nell's gegil klonk nog steeds in het huis.
Ibarra krabbelde weer op. 'Ik heb haar niet aangeraakt. Ik heb alleen maar een foto van haar gemaakt.'
'Foto?' Lovell greep de camera. 'Heb je een foto van haar gemaakt? Waar ben jij van? Van de pers?'
Ibarra knikte. '*Seattle Times.*' Terwijl hij zich bukte om het vuil van zijn kleren te vegen maakte Lovell de achterzijde van de camera open, zodat er licht in kwam en de film overbelicht werd. Daarna klikte hij de camera weer dicht.
'Goed,' zei hij, de camera weer aan Ibarra overhandigend. 'Het spijt me. Ik geloof dat ik wat te fel heb gereageerd.'

'Er is niks gebeurd,' mompelde Ibarra. 'Wie bent u?'
'Ik ben haar dokter,' zei Lovell. 'Doe me een plezier en vergeet dat je haar ooit hebt ontmoet.' Hij keek even naar het huis. Nell gilde nu wat minder hard. Ze waarschuwde de boosdoener nu met een laag gegrom. 'Alsjeblieft, vergeet alles gewoon.'
Ibarra lachte en stak zijn hand uit. 'Mike Ibarra.'
Ze schudden elkaar de hand. 'Jerome Lovell.'
'Het zit zo, dokter Lovell,' zei Ibarra op bedachtzame toon. 'Ik ben journalist. En ik heb een sterk voorgevoel dat die vrouw daarbinnen nieuws kan zijn.'
Lovell keek hem van dichtbij strak aan. 'Hoe heb je trouwens over haar gehoord? Probeer me niet te vertellen dat je toevallig daar aan het wandelen was. Wie heeft het je verteld?'
'Dokter Lovell, u moet toch gehoord hebben over verslaggevers en hun bronnen. We beschermen die liefst.'
'Kom op, Mike. Dit is geen zaak waarin de nationale veiligheid op het spel staat.'
'Sorry, dokter.'
Lovell wilde koste wat kost dit verhaal uit de kranten houden. 'Als je van Nell een nieuwsverhaal maakt, dan bereik je daar alleen maar mee dat je haar veroordeelt tot een leven als circusattractie.'
'Dat hoeft niet,' protesteerde Ibarra. 'We kunnen het verhaal op zo'n manier brengen dat...'
'Kijk, als jullie er geen sensatieverhaal van maken, dan doet een ander dat wel. Je zult haar leven vernielen en waarvoor? Een schouderklopje van de hoofdredacteur en een complimentje. "Geweldig verhaal, Mike. Ga zo door." Ben je daarop uit?'
Mike Ibarra draaide zich om en keek nog eens naar de hut. Nell stond gespannen bij de hordeur te kijken, gereed om te vluchten. 'Haar naam is Nell?'
'Zeg, alsjeblieft,' zei Lovell terwijl hij in afschuw zijn hoofd schudde. 'Luister. Er zit geen verhaal in, geen verhaal buiten de mogelijkheid het leven van een onschuldige vrouw te verwoesten als je met het verhaal doorgaat. Goed?'
'Misschien kunnen we erover praten...'
'We hebben erover gepraat. En nu zou ik graag zien dat je hier als de weerga verdwijnt.'

'Is dit uw eigendom?'
'Nee,' zei Lovell.
Ibarra haalde zijn schouders op. 'Nou, in dat geval zou ik niet weten wat u het recht geeft mij weg te sturen.'
'Je ziet het effect dat je op haar hebt. Als haar dokter vraag ik je te vertrekken. En als je het niet doet... De sheriff is een tamelijk goede vriend van me.'
Ibarra hief zijn handen op, alsof hij zich overgaf. 'Goed, Goed. Ik ga al...' Hij begon het pad de heuvel op te lopen.
Lovell keek hem na. Hij had het ongemakkelijke gevoel dat hij hem nog zou terugzien.

In de loop van hun gedwongen samenzijn hadden Lovell en Olsen een informele werkverdeling ontwikkeld, waarbij ze de karweitjes verdeelden en om en om schoonmaakten en kookten. Het was die avond Lovell's beurt om te koken en hij stond bij het miniatuuraanrecht in het keukentje groente te snijden voor het avondeten. Paula Olsen zat aan de eettafel haar woordenlijst te bestuderen die ze uit haar inmiddels uitgebreide verzameling videobanden en cassettes van Nell had samengesteld.
Geen van beiden hoorde de deur van de hut opengaan en ze zagen evenmin dat Nell heimelijk het veld overstak. Ze drukte zich in het donker tegen de grond en tuurde naar de woonboot waar ze de omgang tussen Olsen en Lovell observeerde met dezelfde intensiteit als waarmee zij haar bekeken. Ze kon hun stemmen half horen, maar ze kon de woorden niet verstaan. Wel voelde ze de spanning die er tussen hen bestond; er hing die avond iets in de lucht.
'Er was hier vandaag een verslaggever,' zei Lovell. Hij stond met woeste bewegingen een bos peterselie te hakken.
Olsen keek gealarmeerd op van haar woordenlijsten. 'Een verslaggever? Hoe is dat in godsnaam gebeurd?'
'Ik weet het niet. Hij wilde het me niet vertellen. Het is mogelijk dat hij de rechtbankverslagen in Monroe heeft uitgepluisd.' Hij stopte met hakken en keek Olsen kritisch aan. 'De enige mensen die ervan weten zijn Don Fontana, sheriff Petersen en mijn partner Amy Blanchard.' Hij pauzeerde even. 'En professor Paley natuurlijk.'

Je hoefde geen gedachten te kunnen lezen om te weten waar Lovell de schuld van het lek legde. Olsen schudde haar hoofd. 'Je hebt het fout. Paley weet dat door publiciteit de hele operatie zou kunnen mislukken. Het heeft de pers niet hierop gezet. Geloof me maar.'
'O ja?' Hij begon weer te hakken. 'Nou, wie het ook was, deze vent was van de *Seattle Times*. En hij heeft Nell de schrik van haar leven bezorgd. En mij ook, trouwens.'
Olsen legde haar pen neer en wreef stevig in haar ogen. 'Het gebeurt toch wel, weet je. Ze blijft echt niet voor eeuwig ons geheim.'
'Waarom niet?' Er lag een venijnige boosheid in zijn stem, alsof hij Olsen de schuld gaf voor het dilemma rond Nell.
'Wees in godsnaam realistisch. Mensen praten nu eenmaal, merken dingen op. Zelfs hier in de rimboe. Jij zou toch zeker moeten weten hoe moeilijk het is in een kleine plaats een geheim te bewaren. Het zou me niet verrassen als de halve plaats weet dat er hier iets aan de hand is.'
'Nou,' gromde Lovell. 'Het gaat ze geen donder aan.'
'Misschien niet... Maar zo gaat het in het leven. Zo simpel is het.'
Lovell gooide zijn mes neer. 'Ik ben het zat. Waarom kan ze verdomme niet gewoon met rust gelaten worden, zoals zij dat wil!'
'Waarom kan niemand van ons dat?' kaatste Olsen terug. 'Waarom zou Nell anders zijn dan de rest van de bevolking? Wie wordt er wèl met rust gelaten? Zelfs jij leeft niet zoals je wilt. De wereld dringt uiteindelijk toch binnen.'
'Waarom Nell anders zou zijn? Omdat ze anders ìs!'
'Wij hebben dit allemaal al eens besproken,' zei Olsen vermoeid. 'Als er nu maar een manier was om haar te beschermen.'
'Hoe? We kunnen geen muur rond het hele bos bouwen.' Hij veegde de gehakte peterselie van de snijplank en begon een gele ui te pellen.
'We kunnen haar ergens anders heen brengen,' zei ze. 'Haar op een plaats brengen waar we controleren wie er bij haar komt. Ze zou daar veilig zijn en niet lastig worden gevallen. En ze zou beschikbaar zijn voor onderzoek.' Het was uiteraard professor Paley's idee, en hoewel Paula er haar twijfels over had, voelde ze

zich moreel verplicht om ten minste te proberen het in praktijk te brengen.
Lovell keek haar koeltjes aan. 'Zoals een psychiatrische afdeling misschien?'
'Wat is jouw voorstel dan?' snauwde Paula. 'Haar inchecken in een Holiday Inn?' Het gezicht van Lovell had een onaangenaam sarcastische uitdrukking gekregen. 'Dit is allemaal het werk van Paley zeker? Jij en Paley willen haar weghalen en haar als een laboratoriumrat opsluiten, hè? Ik had je er nooit bij moeten betrekken. Ik zou er alles voor over hebben om die dag over te doen.'
Olsen voelde zich plotseling buitengewoon kwaad worden, maar ze deed haar best haar stem zacht en neutraal te laten klinken. 'Ik wil haar op alle mogelijke manieren helpen. Als je een beter plan hebt, dan luister ik.'
Nell was nu op het dek en durfde in het raam te kijken, om de vreemde wereld van Jerry en Paula te onderzoeken. Ze begon overstuur te raken door de toon van de stemmen en ze trilde enigszins bij de klank van elk kwaad woord.
Lovell hakte de uien fijn, terwijl hij hard met het mes op de snijplank sloeg. 'Telkens als je hier wegrijdt, telkens als je de berg af rijdt, dan ga je als een haas terug naar Paley en vertel je hem alles wat er hier gebeurt.' Hij goot wat olijfolie in een koekepan, stak het gas aan en schoof de gesneden ui erin.
'Daar heb ik nooit een geheim van gemaakt.' Olsens woorden klonken droog en kortaf.
'Ik vraag me af wat jij en Paley voor haar bekokstoofd hebben.' Hij schudde langzaam zijn hoofd in opperste afschuw. 'Jullie zouden je allebei moeten schamen.'
Paula verloor haar zelfbeheersing. 'Doe niet zo kinderachtig! Al Paley is een wereldberoemde psycholoog. Je hebt verdomd veel geluk gehad dat je sowieso de mazzel had met hem in contact te komen.'
'Ja? Kijk wat hij mij gegeven heeft. Mij.'
Olsens wangen werden felrood. 'Zeg wat je wilt over mij, maar onthou wel dat Al Paley de allerbeste op zijn terrein is.'
'Geweldig.' Lovell richtte zich weer op zijn groenten en kneusde een teen knoflook met het heft van het mes. Zijn eetlust was ver-

dwenen. ‘Vertel hem dan maar dat hij verdomme op zijn eigen terrein blijft, ja. Dan blijf ik op het mijne. En Nell heeft hem ook niet nodig.’

‘Wie heeft ze dan wel nodig? Jou?’

‘Ze kon het slechter treffen,’ mompelde Lovell.

‘O, echt waar?’ Paula Olsen lachte sarcastisch. ‘Wat heb jij te bieden? Wat is je grote plan voor Nell? Wat voor een toekomst kun jij haar geven?’

Haar stem werd steeds luider, de zijne daarentegen steeds zachter en beheerster. ‘Ik ben niet van plan haar toekomst te regelen. Ik maak geen plannen. Dat is jouw spelletje. Jij en Al. Ga dat maar ergens anders spelen en laat ons erbuiten.’

‘O, is het nu opeens “ons”? Jerry en Nell. Jullie tweeën die hier ver weg in de vrije natuur leven. Het kindvrouwtje en haar sterke stille beschermer.’

‘Hou je kop.’ Hij had nu alle belangstelling voor koken verloren. Hij gooide het mes opzij, greep de kurketrekker en haalde een fles wijn – Olsens wijn – uit de koelkast.

‘Zo zie jij het toch? Het gelukkige paar zonder zorgen in de grote slechte wereld.’

‘Wat weet jij eigenlijk van gelukkige stellen?’ schreeuwde Lovell.

‘Wat weet jij eigenlijk van wat dan ook af?’ schreeuwde Olsen direct terug.

Nell stond verstijfd bij het raam. Ze ademde snel en haar borst ging op en neer. Haar hart bonkte. Ze haatte het geluid van de scherpe, boze woorden. Er kwam een opgewonden gejammer uit haar keel, maar het was niet te horen boven het lawaai van hun ruzie.

‘Je hebt gewoon geen kloten genoeg om met een volwassen vrouw om te gaan,’ zei Olsen. ‘En daarom los je dat probleem op door je aan Nell vast te zuigen. Zielig!’

‘Jezus! Jij bent echt een rotwijf!’

‘En jij bent te slap om verantwoordelijkheid te nemen...’

‘Hoor haar!’ brulde Lovell. ‘Dus jij zou hier de volwassen vrouw zijn? Je bent gewoon een meisje dat de grote vader daar in Seattle wil behagen, dat is alles wat je bent.’

‘Ach wat!’ Olsen was nu werkelijk woedend. Ze schreeuwde net zo hard als Lovell. ‘Ik doe tenminste iets. Ik maak iets van deze situatie. Niet zoals jij, jij bent zo verdomd fijngevoelig. Veel te fijngevoelig om een kans te grijpen, om verdomme iets te volbrengen.'

Ze bestookten elkaar met beledigingen, alsof hun woorden speren waren waarmee ze probeerden elkaar te kwetsen, diep te kwetsen. Maar in het vuur van de strijd merkte Olsen noch Lovell dat ieder precies de zwakte van de ander kende. Zonder het zich te realiseren hadden ze elkaar maar al te goed leren kennen.

'Wil je weten wat jouw probleem is?' snauwde Lovell. 'Ik zal je verdomme vertellen dat je probleem...'

Ze viel hem woest in de rede. 'Mijn probleem? En dat van jou dan? Je bent een veel te grote schijtluis om ook maar iets te doen. Je bent zo bang dat je één voet verkeerd zet, zo bang dat je een fout maakt dat je hartstikke verlamd bent!'

'En jij bent bang voor mannen!'

Deze opmerking bracht haar tot zwijgen, maar slechts voor even. Ze ging helemaal overeind staan en gilde: 'Hoe weet jij dat nou verdomme? Jij bent geen man! Jij bent een grote schijterd!'

Zonder nadenken greep Lovell de zware koekepan op het fornuis en hief die op alsof hij haar ermee zou gaan slaan. De met warme, gele olie bedekte snippers ui vlogen door de kamer.

'Ga je me nou slaan?' hoonde Olsen. 'Ga je me vermoorden? Daar weet je alles van, toch? De enige beslissing die je ooit in je leven hebt genomen en je...'

Haar woorden troffen hem als een messteek. Een fractie van een seconden was Lovell werkelijk bang dat hij haar met de koekepan de hersens in zou slaan. Het kostte hem alle zelfbeheersing die hij bezat, maar hij slaagde erin de pan neer te smijten, niet op haar hoofd, maar op de tafel. Het metaal kwam met een verschrikkelijke klap op het hout terecht.

'Godverdomme!' schreeuwde Lovell.

'*Ahie!*' Plotseling werd de deur van de boot opengegooid. Daar stond Nell hen aan te kijken, met een blik vol diepe angst en paniek. Ze krijste en jankte, terwijl haar hoofd zenuwtrekkend van de ene naar de andere kant bewoog. Ze stortte zich op Lovell en pakte zijn gezicht in haar handen, alsof ze de stroom woedende woorden probeerde te stoppen. '*Enke'tje spee' woo'vede hee'!*' jammerde ze.

Lovell en Olsen waren te verbaasd om zich te verroeren. Nell zakte langzaam op haar knieën, terwijl ze hevig schudde en jammerlijk huilde. Het was een angstwekkend geluid, zoals van een kind dat pijn lijdt. Ze drukte haar voorhoofd tegen de grond en huilde, alsof ze hen smeekte te stoppen met ruziemaken. '*Enke'tje... lievi'e enke'tje... Enke'tje ressa hee'...*'
Vrijwel onmiddellijk zat Lovell op zijn knieën naast haar. Hij omarmde haar en hield haar tegen zich aan. Hij kon voelen hoe ze met kloppend hart tegen hem aan zat te rillen. 'Zeker. Zeker. *Enke'tje ressa hee'*,' fluisterde hij. 'Alles is in orde, echt waar.' Hij keek naar Olsen. 'Zeg iets. Geef haar het gevoel dat het in orde is.'
Olsen lachte flauwtjes, bukte zich en streek door haar haren. 'Het is goed, Nell. Mama houdt van papa, echt. Eerlijk waar.'

Het duurde even voordat Nell gekalmeerd was, maar na een uur vol lieve woordjes en liefkozingen was het trillen opgehouden en had ze zich losgemaakt uit haar beschermende cocon. Terwijl ze Nell aan het geruststellen waren, ontdekten Olsen en Lovell dat ze hun eigen boosheid vergeten waren.
'Nell?' Lovell draaide haar door tranen bevlekte gezicht naar het zijne. 'Alles is nu in orde. *Reken?*'
Nell knikte. '*Reken.*'
'Wil je terug naar je huis?'
'Uh-uh.'
'Ik breng haar terug,' fluisterde Lovell tegen Olsen. 'Goed?'
'Ga je gang.'
Hand in hand liepen Nell en Jerry terug naar de hut. Lovell schaamde zich dat Nell hem – hen beiden – zo volledig buiten zichzelf had gezien en hij voelde zich niet in staat een dergelijke woede te verklaren.
Als kind had hij zijn ouders eens bij een dergelijke ruzie betrapt. Hij was 's nachts wakker geworden omdat hij de woedende stemmen van zijn moeder en vader hoorde. Voorzover Lovell wist, waren zijn ouders een gelukkig paar geweest met een stabiel huwelijk, maar zelfs zij hadden af en toe hevige, langdurige ruzies.
De spanningen die in elk gezin bestaan bouwden zich steeds op en kwamen af en toe tot uitbarsting in een ruzie vol blinde woede.

Hij wist niet duidelijk waar de ruzies over gegaan waren, maar waarschijnlijk gingen ze over dezelfde ordinaire onderwerpen die elk huwelijk kwellen: geld, de spanningen van het werk, seks, het gezin, de familie; de irritante onaangenaamheden van het leven. Een steek, een sarcastisch opmerking en tenslotte een vonk die een helse uitbarsting kon veroorzaken vol woede en pijn.
Lovell herinnerde zich hoe hij in zijn bed in elkaar kroop terwijl hij luisterde hoe de ruzie als een storm voortraasde. Hij lag daar dan doodsbang, gekweld door zijn angsten, bang dat zijn ouders niet meer van elkaar hielden en dat het gezin door hun vijandigheid zou worden verscheurd. En het ergste van alles: dat deze openlijke vijandschap op een of andere manier zijn schuld was, dat hij er de oorzaak van was.
Lovell hield dan zijn handen tegen zijn oren en zwaaide met zijn hoofd heen en weer, terwijl hij in zichzelf zong en naar zijn eigen stem luisterde die zijn hoofd vulde. Hij wilde koste wat kost het geluid van de woede buitensluiten.
En dan was het opeens voorbij.
Hij was er altijd weer verbaasd over dat de storm 's ochtends voorbij was, dat het leven doorging zoals het altijd was geweest. Lovell bekeek zijn ouders dan bij het ontbijt en zag hoe ze de dingen deden die ze gewoonlijk deden, alsof er niets vervelends gebeurd was. Hij kon nooit helemaal geloven dat ze elkaar vergeven hadden, dat ze zich niet alle hatelijkheden zouden herinneren en een diepe, voortdurende wrok zouden koesteren, een geheime haat.
Naarmate hij ouder werd, leerde hij meer over de opmerkelijke herstellende vermogens van het menselijk lichaam en de menselijke geest, dat wonden verdwijnen en dat gevoelens van wrok als oude wonden kunnen helen. Maar ergens vertrouwde hij dit proces niet echt. In zijn eigen huwelijk was hij zo bang geweest voor de confrontatie dat hij nooit ruzie had gemaakt met zijn vrouw, zelfs niet toen ze zei dat ze bij hem wegging.
Lovell liet Nell achter bij de deur van de hut en liep terug naar de woonboot. Halverwege het pad zag hij dat Olsen helemaal aan het eind van de steiger naar de sterrenhemel stond te kijken. Hij ging voorzichtig op haar af, met de hatelijke dingen die hij over haar had gezegd nog vers in gedachten. Hij schaamde zich.

'Alles goed met haar?' vroeg ze.
'Ja.'
'Het spijt me van daar...' Ze gebaarde naar de boot, alsof de resten van hun woede en hun ruzie nog steeds daar verspreid lagen.
'Mij ook.'
'Mijn vader en moeder gingen ook altijd zo tekeer,' zei Olsen lachend. 'Heel luid. Heel dramatisch.'
'Ik dacht net hetzelfde. Over mijn ouders,' zei hij. 'Het leek alsof het het einde van de wereld was.'
Olsen knikte. 'En als mijn moeder dan zei dat ik me geen zorgen moest maken, dat vaders en moeders soms zo ruzie maakten, dan geloofde ik dat niet.'
Ze zwegen even en luisterden naar de muziek van de wind op het water.
'Mijn moeder zei altijd dat de lucht erdoor opklaarde,' zei Lovell. 'Dat door een goede ruzie de dingen naar buiten komen. Denk je dat dat waar is?'
'Ik weet het niet,' zei Olsen langzaam. 'Het is lang geleden dat ik zo'n ruzie gemaakt heb.'
'Ik denk dat deze situatie een beetje claustrofobisch is. Ik bedoel: we zijn rivalen, maar we werken naast elkaar.'
'Dat denk ik ook.' Paula keek naar de hut. 'Wat denk je dat Nell ervan dacht?'
Lovell lachte. 'Haar reactie was precies dezelfde als de mijne. Ik was een jongen van tien en wilde alleen maar dat het ophield. Het kon me niet schelen waar het vandaan gekomen was, wie er gelijk had en wie ongelijk, ik wilde maar dat het over was. Dat is ook alles wat Nell wilde.'
'Denk ik ook.'
'Luister,' zei hij, 'wat ik daar ook gezegd heb, ik was gewoon stoom aan het afblazen. Wat weet ik nou? Ik weet helemaal niets over jou. Let er maar niet op.'
'Je weet genoeg,' zei Paula. 'Je weet genoeg om me een paar keer om zeep te helpen.'
'O, ja? Nou, jij hebt je ook niet ingehouden. Ik voel me alsof je een paar ribben bij me gebroken hebt.'
'Verdorie,' zei Olsen lachend. 'Maar jij wilde me met een koekepan te lijf gaan.'

‘Kom zeg. Je denkt toch niet dat ik dat echt ging doen?’
‘Je leek anders behoorlijk kwaad.’
‘Je had een gevoelige plek geraakt. Goed gericht. Hoe kreeg je dat voor elkaar?’
‘Ik denk dat we elkaar meer verteld hebben dan we ons deze laatste paar weken gerealiseerd hebben.’
Lovell wreef over zijn gezicht en lachte luid. ‘Ik herinner me niet dat ik je verteld heb dat ik een schijterd was.’
‘Dat heb ik zelf uitgevogeld.’
‘Wonderlijk. Het koste mijn ex-vrouw twee jaar om erachter te komen. Maar zij was natuurlijk geen professionele gedachtenlezer zoals jij.’
Olsen grijnsde, ontwapend door zijn openhartige eerlijkheid. Ze zweeg even, terwijl ze bedacht dat de ene ontboezeming de andere waard was. ‘Ik heb gerapporteerd aan Al Paley.’
Lovell knikte. ‘Dat weet ik. En je hebt gelijk.’
‘Heb ik gelijk?’ Ze leek oprecht verrast.
Lovell grijnsde. ‘Ik wed dat je nooit gedacht had dat je me dat nog eens zou horen zeggen, hè? Ben je onder de indruk van mijn grootmoedigheid?’
‘Hangt ervan af. Waar heb ik gelijk in?’
‘Dat we een plan voor Nell moeten hebben. Ik wil alleen niet dat ze in een kliniek wordt opgesloten, dat is alles. Ik geloof werkelijk dat het haar einde zal zijn als ze hier wordt weggehaald.’
‘Daar kon je weleens gelijk in hebben. En ik wil haar zeker niet in een kliniek hebben.’
‘O, nee?’
‘Klinieken zijn voor mensen die ziek zijn,’ zei ze. ‘Mensen die niet voor zichzelf kunnen zorgen. Als Nell voor zichzelf kan zorgen, heeft ze niets te zoeken in een ziekenhuis.’
‘Dat is een hele grote als,’ zei hij nuchter. Hij keek het veld rond. ‘Ze kan hier blijven wonen zolang iemand haar van genoeg eten voorziet. Maar als je bedenkt dat ze met de buitenwereld moet communiceren, is dat een heel ander verhaal.’
‘Er is maar één manier om daar achter te komen,’ zei Olsen.
‘En die is?’
‘Haar mee uit nemen en kijken hoe ze het ervan afbrengt.’

21

Nell tuurde gefascineerd naar haar eigen beeld in de grote spiegel, maar ditmaal keek ze niet achter haar eigen beeld in de ogen van haar dode tweelingzusje en de wereld die ze achter het spiegelglas deelden. Ditmaal keek ze naar zichzelf, alleen zichzelf, en kon ze haar ogen nauwelijks geloven. Nell droeg niet langer haar verwassen, ruim zittende grijze hemdjurk. In plaats daarvan had ze een eenvoudige marineblauwe zonnejurk aangetrokken, die van Paula Olsen was. Het effect was dramatisch. De donkere kleur van de stof accentueerde de tere, bleke huid en haar diepblauwe ogen. Een vreemde, die niets zou weten van Nell's toestand, zou Nell hebben beschouwd als een tamelijk knappe jonge vrouw die in stijlvolle vrijetijdskleding gekleed was.
Paula Olsen, die achter Nell stond, keek in de spiegel terwijl Nell de stof tussen haar duim en wijsvinger wreef. Ze streelde het katoen zachtjes alsof het een zeldzame, verfijnde stof was. Nell keek verrukt naar haar nieuwe uiterlijk en Olsen probeerde zo goed mogelijk haar eigen lachen te verbergen. Het was alsof ze naar een klein meisje keek dat in haar moeders kleren een verkleedpartijtje hield. Nell was voor het eerst in haar leven in de greep van een naïeve, onschuldige ijdelheid.
'Hier,' zei Paula. 'Laten we nog wat extra's doen aan je nieuwe uiterlijk. Probeer dit eens.' Ze hield een ruim zittend beige jack met lange mouwen van ruw geweven linnen op. Ze legde het over Nell's smalle schouders en deed een paar passen naar achteren om haar schepping te bewonderen.
'Ziet er goed uit, hè?'
Nell bekeek zichzelf met een brede lach in de spiegel. Ze was geboeid door haar nieuwe kleren en ontdekte tot haar verbazing dat degene die zij in de spiegel zag zijzelf was. Met haar handen onderzocht ze de zakken. Ze haalde er een verkreukeld, vaak gewassen dollarbiljet uit en vouwde het open. Haar gezicht versomberde toen ze ernaar keek. Ze tuurde wantrouwig naar de beeltenis van George Washington.

'*Boo'dene,*' zei ze met getuite lippen.
'Nee, nee,' zei Olsen. 'Hij wandelt met de Heer.'
Nell knikte en accepteerde de correctie zonder verdere vragen.
'*En Mi'ie. En maw.*'
'Dat klopt.' Olsen bedacht dat ze een notitie moest maken over Nell's onvermogen kritisch te denken. Ze zou elke informatie als de volledige waarheid aannemen en ze zou die ook uit elke bron aannemen. Het was een gevaarlijke zwakte, waardoor Nell weerloos zou zijn tegen vreemden die minder scrupules zouden hebben dan Olsen en Lovell.
'Goed, Nell,' zei ze. 'We zijn nog niet klaar.' Paula haalde een kam en haarborstel uit haar tas en nam het korte haar van Nell in haar handen.
'Dit is een kam.'
'Ka',' zei Nell.
'Die gebruik je voor je haar.' Olsen haalde de kam door Nell's haar, dat tot haar verrassing geen warboel vol knopen was. Ze kamde een deel, pakte de haarborstel en begon krachtig te borstelen.
'Borstel.'
'Bo'stel,' herhaalde Nell plichtsgetrouw.
Ze bekeek de hele actie in de spiegel, waarbij ze eerst wat verbaasd keek, maar naarmate haar haar zacht en glanzend werd, kon Olsen zien dat ze de zin ervan inzag.
'Je ziet er prachtig uit, Nell. We gaan het aan Jerry laten zien.'
Lovell zat buiten op de verandatrap te wachten, maar hij sprong op toen Olsen en Nell uit de hut kwamen. Zijn mond viel open van verbazing over haar gedaanteverwisseling.
'Wauw!'
Nell huppelde de trap af, van pure blijdschap lachend. '*Net as Pau'a,*' zei ze. Als om dit te benadrukken trok ze de zoom van de jurk omhoog en hield ze de stof naar één kant, waarbij ze als een danseres op een feestbal in het rond draaide.
Lovell knikte. 'Net als Paula. Je ziet er geweldig uit, Nell. Echt geweldig.'
'Dus we gaan het doen?'
'Ik denk het wel, als jij vindt dat het een goed idee is.'
'Jawel, we gaan met mijn auto.'

'Nell,' zei Lovell. 'Wat vindt je van een ritje in Paula's auto?'
Ze keek hem met een holle, onbegrijpende blik aan. Het was duidelijk dat ze geen enkel idee had waar hij het over had.
Jerry wierp een bezorgde blik op Olsen. 'Weet je zeker dat dit een goed idee is? De jurk, het jack, het haar... Denk je niet dat dit genoeg is voor vandaag?' Hij grijnsde. 'Of ben ik weer een schijterd?'
'Je bent een schijterd.'
'Goed. Jij bent de baas.'
Jerry en Paula liepen met Nell over het veld en lieten haar de lage, felrode MG zien. Lovell opende het portier en wees op de achterbank.
'Kom maar Nell. Stap maar in.'
Nell verroerde zich niet.
'Laat haar zien.'
'Goed.' Lovell wrong zich in de kleine auto en liet zich op de smalle bank zakken. Hij klopte op de plek naast hem. 'Kom op, Nell. Hier.'
Nell deed zoals haar was gezegd. Ze had een nieuwsgierig lachje op haar gezicht toen ze in de auto stapte, alsof ze niet helemaal kon geloven wat er met haar gebeurde.
Jerry Lovell dacht dat niets wat Nell deed hem nog kon verbazen; hij was ervan overtuigd dat hij het allemaal al gezien had. Maar de volle last van haar gebrek aan ervaring in de alledaagse wereld trof hem hard. Zoiets simpels als in een auto stappen was een gebeurtenis die ze intens voelde.
Olsen nam plaats achter het stuur. 'Iedereen klaar?'
'We kunnen vertrekken,' zei Lovell.
Nell sprong op toen de motor aansloeg en ze keek Lovell zenuwachtig aan.
'Het is in orde,' zei hij, terwijl hij haar geruststellend in haar schouder kneep. 'Er is niks om je druk over te maken.'
Toen de auto in beweging kwam, trok er zo'n uitdrukking van pure verbazing over Nell's gezicht dat Olsen bijna luid begon te lachen. Toen de auto over het pad begon te hobbelen, draaide Nell haar hoofd om te kunnen zien hoe de hut kleiner werd. Ze was duidelijk verbaasd dat ze ervan weg bewoog.
Daarop richtte Nel haar aandacht op Paula en haar stuurmans-

kunst. Alles was fascinerend: het draaien aan het stuurwiel, de beweging van Paula's hand op de versnellingshendel, de voortkruipende wijzers van de snelheidsmeter en de toerenteller. Ze wendde haar blik net lang genoeg van deze dingen af om Lovell een blije lach toe te werpen.
Toen de MG van het bospad af de grote weg op reed, staarde Nell verbijsterd naar het lange zwarte lint. Er klonk luid getoeter en met een zwaar gegrom passeerde een enorme vrachtwagen met achttien wielen hen met grote vaart. Door de schokgolven van het zware voertuig begon de lichte sportwagen heen en weer te bewegen. Nell wierp zich angstig jankend in Lovell's schoot. Ze begroef haar gezicht in zijn schouder en verborg haar ogen voor de lawaaiige kolos.
'Het is al goed,' zei Lovell, die erop lette dat zijn stem zacht en kalm klonk. 'Het zal je geen pijn doen. Maak je geen zorgen. *Nei tata*, Nell.'
Nell's nieuwsgierigheid won het van haar angst. Ze ging weer rechtop zitten, maar hield Lovell's arm stevig vast. Ze wierp zich op hem toen er een paar auto's voorbijraasden, waarbij haar nagels zich in zijn huid boorden.
Paula keek over haar schouder. 'Goed? Alles klaar?'
Lovell stak zijn duim voor haar op. 'Op weg.'
Ze schakelde naar de eerste versnelling en drukte het gaspedaal in. De auto bokte, de achterwielen draaiden rond op het grindpad en groeven zich in, op zoek naar grip, en ze reden weg. In het bos hadden ze nooit sneller gereden dan twintig kilometer per uur, maar nu reden ze binnen enkele seconden tachtig.
Nell piepte gealarmeerd en verborg haar gezicht tegen Lovell's schouder, maar alweer won haar nieuwsgierigheid het. Ze permitteerde zich nog één enkele piep en wierp een blik op de wazige rij bomen langs de weg. De aanblik was te angstaanjagend en ze verborg haar ogen weer, maar niet voor lang. Deze nieuwe wereld was veel te opwindend, veel te interessant. Ondanks haar angst voelde ze zich gedwongen te kijken.
'Hoe gaat het met haar?' riep Olsen in het windgeraas.
'Best goed. Ze begint eraan te wennen. Ze zal het uiteindelijk nog leuk gaan vinden, denk ik.'
Als om te bewijzen dat hij gelijk had, maakte Nell zich los van

hem. Ze hield haar hoofd nu met wijdopen ogen opgericht. Ze trilde een beetje, maar niet van angst; Nell begon de pure opwinding die snelheid bood te ervaren.
De wind raasde door haar haren. Plotseling wierp ze haar armen in de lucht en liet haar handen in de wind glijden. Ze begon te schreeuwen, een luide, blije kreet, die uitdrukte hoe opgewonden ze erover was dat ze zo snel voortraasde.
'*Aah-aaa-jaa-aaa!* JAAA-WAAA-WOEOEOE!' Het was een luid, extatisch gejoel. Het was zuiver geluk; Nell had nooit zelfs maar een poging kunnen doen, in welke taal dan ook, uit te drukken wat ze op dat moment voelde, maar Lovell begreep haar volledig. Het was precies het geluid dat hij altijd had willen maken als hij in een open sportwagen over de snelweg raasde.
In een opwelling begon hij mee te doen aan Nell's pure genoegen in snelheid. Hij zwaaide met zijn handen in de lucht en joelde blij uit volle kracht. '*Woeoe-ie-woeoe-ie!*'
Paula Olsen kon haar beide passagiers in de achteruitkijkspiegel zien. Nell joelde zo hard mogelijk in een delirium van genot, terwijl haar haren door de langssuizende lucht werden opgetild. Paula Olsen had deze weg in de afgelopen weken al honderd keer gereden, maar nooit tevoren was dat magisch en enerverend geweest. Nell's onopgesmukte enthousiasme was besmettelijk. Plotseling begon Paula ook te joelen.
'*Jau-wie! Jau-wie-jau-wie!*'
Ze bleven de hele weg naar het stadje joelen, ook in de buitenwijken van Richfield. Joelend reden ze langs benzinestations en stacaravans, langs winkels en restaurants, langs de dumphandels en uitdragerijen die je aan de rand van elk stadje vond.
Nell hield op met schreeuwen toen een meute lawaaiige motorfietsen achter hen kwam rijden en met luid motorgeknetter voorbijraasde, met Billy Fisher voorop. De andere opgeschoten knapen van Richfield, Jed, Shane en Stevie, waaierden achter hem uit in een wig die beide rijstroken vulde. Nell kon alleen maar verbijsterd toekijken.
De MG raasde langs Lorene en Calvin Hannick, die in hun leunstoelen voor hun vervallen caravan zaten. Het echtpaar zat wezenloos voor zich uit te staren en merkte niet eens dat de sportwagen passeerde.

Nell vond zelfs de Hannicks fascinerend en stak haar nek uit om te kijken hoe het onverstoorbare echtpaar achter hen verdween. Lovell realiseerde zich dat zelfs mensen die zo saai waren als de Hannicks Nell fascineerden. Buiten haar moeder, hemzelf, Olsen en een paar anderen had Nell in haar hele leven geen mensen gezien. Iedereen die ze ontmoette zou uniek, vreemd en apart zijn voor haar verbaasde ogen.
Dingen die Lovell al sinds lang niet meer zag, waren voor Nell wonderen, zoals de Jolly Chef Diner, een verlopen restaurant aan de rand van Richfield. Het eten was er niets bijzonders, de bediening humeurig en de hygiëne dubieus, maar voor Nell leek het een plek vol wonderen. Het opmerkelijkste van het etablissement was het gipsen standbeeld van de Jolly Chef zelf, die het vervallen dak van het restaurant sierde. Op het karikaturale gezicht van de gestalte was een dwaze grijns geschilderd. Nell zag het en grijnsde terug, waarbij ze de gezichtsuitdrukking perfect imiteerde.
Paula ging langzamer rijden toen ze het stadje zelf in reed. 'Welkom in Richfield, Nell.'
Lovell vond het verbazingwekkend dat Nell zo lang zo dicht bij het stadje gewoond kon hebben zonder er enig idee van te hebben dat het bestond. Voor iemand die in zo'n volledige afzondering had geleefd, was het hele begrip 'samenleven', het hebben van buren of een buurt en het voeren van oppervlakkige gesprekjes met vreemden uiteraard vrijwel onmogelijk te begrijpen. Ze moest zo vreselijk veel leren.
Paula Olsen zette de auto op een parkeerplaats in Main Street, vlak naast de patrouillewagen van sheriff Petersen. Nell tuurde naar de paar voetgangers op het trottoir en was verbijsterd over het aantal mensen dat er in de wereld rondliep. Niemand besteedde ook maar de geringste aandacht aan Nell, behalve een jongetje van zes of zeven dat op het trottoir achter zijn moeder aan huppelde. Hij was de enige die haar vreemde, intense blik opmerkte en gaapte haar even aan. Toen vertrok hij zijn gezicht in een grimas en stak zijn tong naar haar uit. Nell deed precies hetzelfde in een volmaakte imitatie. Geschokt dat een volwassene zoiets deed, barstte het jongetje in tranen uit en greep zich vast aan de jurk van zijn moeder. Nell sloeg haar ogen neer, ontzet dat ze een kind leed had aangedaan.

Jerry Lovell stapte uit de auto en hield het portier voor haar open. 'Goed, Nell. Dit is het dan.' Hij nam haar hand en leidde haar naar het trottoir. 'Dit is de opwinding die je je hele leven hebt gemist.' Hij overzag de slaperige hoofdstraat van het stadje van het ene tot het andere eind. 'Ik weet niet hoe het met jou zit, maar ik voel me al uitgeput.'
'Hé, Lovell. Hoe gaat het met jou?' Jerry draaide zich om en zag Todd en Mary Petersen uit het politiebureau komen, op weg naar hun auto.
'Hallo, Todd. Morgen, Mary.' Mary reageerde niet op zijn begroeting. Lovell kon zien dat de vrouw van de sheriff er nu beter aan toe was dan de laatste keer dat hij haar had gezien, maar ze had nog altijd die nietszeggende, levenloze uitdrukking op haar gezicht, alsof ze zich slechts in geringe mate ervan bewust was waar of in welk gezelschap ze zich bevond.
'Mevrouw Olsen,' zei Petersen. 'U bent nog steeds bij ons, zie ik.'
'Wis en waarachtig, sheriff,' zei Paula.
Op dat moment realiseerde Petersen zich tot zijn eigen verrassing dat de jonge vrouw die tussen Olsen en Lovell stond, niemand anders dan de mysterieuze Nell was. 'Wel heb ik nou...' zei hij. 'Wat betekent dit?'
'We zijn bezig met een klein experiment,' zei Lovell. 'Nell, dit is sheriff Petersen.'
'Welkom in Richfield, Nell.'
Nell wierp snel een blik op Petersen en richtte toen haar aandacht op Mary. Ze bestudeerde zorgvuldig haar hele gezicht alsof ze een diepere bedoeling op de nietszeggende gezichtsuitdrukking van de vrouw probeerde te lezen. Mary's levenloze ogen staarden slechts terug.
Lovell nam Petersen bij de arm en draaide hem half weg van de groep.
'Het spijt me dat ik niet langs ben gekomen,' zei hij zachtjes. 'Ik had mijn handen nogal vol daar in de hut.'
Petersen knikte. 'Ik begrijp het...' Hij wierp een zijdelingse blik op zijn vrouw. 'Er is niet veel gebeurd.'
'Hoe gaat het met haar?'
'Mary is nog steeds zo'n beetje hetzelfde, Jerry. Ze is nu even in een rustige fase.'

Nell bleef Mary's gezicht bestuderen. Ze stak haar handen uit en raakte haar wang aan, waarbij ze haar vingers lichtjes over haar huid liet gaan. Op het moment dat Nell haar aanraakte, werden Mary's ogen groot van verrassing en ademde ze diep in, alsof er een elektrische stroom door haar heen was gegaan. Het was een kleine beweging, die door Lovell of Petersen niet gezien werd. Paula Olsen zag het wel en keek toe hoe de blikken van de vrouwen op elkaar gericht bleven.
'Kom op, Mary,' zei Petersen. 'Tijd om te vertrekken.'
Mary Petersen stapte de wagen in, maar haar ogen bleven strak op Nell gericht, alsof ze niet in staat was ze van haar af te halen. De sheriff keek ook naar Nell. Hij kon nauwelijks geloven dat deze volgzame, goed verzorgde jonge vrouw degene was die ze ontdekt hadden op de dag dat Violet Kellty gestorven was.
'Je bent goed bezig daar, Lovell.'
'Het is nog maar het begin, Todd.' Jerry nam Nell's arm en begon met haar het trottoir af te lopen. Mary Petersens ogen bleven Nell volgen tot ze uit het zicht waren.

Larry's Supermarkt halverwege Main Street was een doorsnee levensmiddelenwinkel, tenzij je er door Nell's ogen naar keek. Voor haar was het een schatkamer vol waardevolle artikelen, een bont geheel vol kleuren en prikkels. Door de nauwe gangpaden dwalend staarde Nell naar de koopwaar. Ze kon nauwelijks geloven dat zoiets dergelijks kon bestaan.
Een schap met toiletpapier benam haar de adem. Ze knipperde met haar ogen bij de aanblik van de hoge stapels fel gekleurde rollen, en haar ogen vulden zich met de verbazingwekkende kleuren: flamingoroze, kamperfoeliegeel, mintgroen.
Een goudgeel schap met flessen plantaardige olie trok haar aandacht en ze hield haar gezicht zo dicht mogelijk bij de glinsterende vloeistoffen. Door de flessen heen viel haar oog op een berg appels, elk ervan glanzend als een robijn.
Olsen en Lovell volgden Nell door het gangpad terwijl ze van de ene naar de andere kant keek om alles op de schappen te bekijken, alsof ze in een museum was. Nell stak haar handen half uit, maar ze was bang om al die wonderlijke dingen aan te pakken. Een vrouw passeerde hen met een winkelwagentje, greep

een reuzenpak wegwerpluiers en gooide het nonchalant in haar kar. Nell pakte ook een pak en bestudeerde de foto van een dikke baby met roze wangen die op zijn duim zoog. Nell stak haar duim in haar mond in een precieze imitatie van de foto.
Olsen nam het pak luiers voorzichtig weg en zette het terug op het schap. 'Die heb jij niet nodig,' zei ze.
'Waarom niet?' vroeg Lovell. 'Alle anderen nemen ook wat ze willen. Waarom Nell niet?'
Olsen zette haar handen tegen haar heupen en keek Lovell met een koele, kritische blik aan. 'Hoe zit het nu?' vroeg ze. 'Moeten we haar maar alles geven wat ze wil?'
'Waarom niet?' Hij keek even naar Nell, die net met grote belangstelling naar een schap met afslankprodukten keek.
'Ze weet totaal niet wat voor spullen het allemaal zijn. Hoe kan ze nu weten wat ze wil?'
'Nou en? Haal een kar voor haar en laat het haar zelf uitzoeken.'
'Goed,' zei Olsen. 'Maar jij betaalt het.'
'Oké.'
Nell duwde haar winkelwagentje meer dan een uur lang door de winkel en koos willekeurig spullen uit. Tegen de tijd dat ze klaar was, had ze haar wagentje gevuld met een stapel groene paprika's, aluminiumfolie, een zestal blikken hondevoer, een plastic vergiet en een hele verzameling dikke ovenwanten.
'Dit is belachelijk,' zei Olsen terwijl Lovell de kar bij de kassa uitlaadde. Nell keek toe hoe elke boodschap over de scanner werd gehaald en sprong telkens even op als de machine een elektronisch piepje gaf.
'Wat is er zo belachelijk aan?'
Olsen pakte een van de blikken hondevoer van de winkelwagen. 'Ze heeft hier zes blikken hondevoer, en ze heeft niet eens een hond.'
'Wie zegt dat het hondevoer is?'
'Ik,' zei Olsen. 'Zie je wel? Hier staat het. *Voor uw pup*. Dat slaat toch duidelijk op een hond.'
'Zeker. Voor jou is dit een blik hondevoer. Voor Nell is het een afbeelding van een dier op een ronde metalen doos. Het is maar hoe je het bekijkt.'
'Alsjeblieft zeg.'

Nell stond bij de ingang van de winkel te wachten en tuurde over de straat. Achter haar was de winkelbediende bezig haar aankopen in te pakken en Lovell klopte op zijn zakken, op zoek naar zijn portemonnee. Hij stopte daarmee en pakte iets van het rek bij de kassa. Het was een grote plastic zak vol snoepgoed, die met allerlei goedkope, opzichtig verpakte lekkernijen gevuld was. Hij gooide de zak met de rest van de aankopen op de band.
'O nee,' zei Olsen streng. 'Dat geef ik haar niet.' Ze pakte de zak en gooide die terug op het rek.
'Waarom niet?'
'Ze heeft dergelijke rommel nog nooit gegeten en ik laat haar er niet mee beginnen.'
Lovell lachte en schudde zijn hoofd. Hij pakte de zak weer en legde deze opnieuw bij de rest van Nell's aankopen. 'Kom op. Niet zo moeilijk doen. Bedoel je dat ze helemaal nooit een enkele snoepje mag proeven?'
Olsen voelde de irritatie opkomen. 'Zo gaat het nou altijd. Vader is degene die alles maar toestaat, terwijl moeder moeilijk doet en niemand zijn pleziertje gunt.'
De caissière had haar hand op de zak snoep en wachtte om te zien wie het debat zou gaan winnen voordat ze hem over de scanner haalde. Achter Lovell stond een vrouw met een volle wagen te zuchten en met haar ogen te draaien.
'Moeder? Vader?' zei Lovell verbijsterd. 'Kijk, het is gewoon een zak snoep. Geen heroïne. Weet je nog hoe lekker ze die caramelpopcorn vond? Denk er dan eens aan hoe lekker ze chocolade zal vinden.'
'Het is toch een drug,' hield Olsen vol. 'Het is vergif. Wil je dat ze verslaafd raakt aan suiker?'
'Alsjeblieft, Paula, doe niet zo streng. Weet je niet meer dat je als kind snoep at?' Lovell kreeg een afwezige blik in zijn ogen. 'Zaterdagmorgen, als je de wikkel van een pakje kauwgum haalde? Die eerste explosie van totale zoetigheid? Mooier dan op dat moment kan het leven nooit worden.'
'O, echt? Heb jij je eigen tanden nog?'
Lovell wierp haar een brede grijns toe, waarbij hij zijn lippen van elkaar trok en zijn tanden voor haar ontblootte. 'Grotendeels.'

'Willen jullie zeggen wat je doet?' vroeg de caissière. 'Er staan mensen in de rij.'
Maar Olsen had haar belangstelling in het onderwerp al verloren. Ze keek naar de ingang van de supermarkt. 'Waar is Nell?'

22

Nell was de straat op gelopen, met de bedoeling daar op Paula en Jerry te wachten. Maar toen hoorde ze de muziek. Het was andere muziek dan ze ooit eerder had gehoord, bepaald niet de melancholieke melodieën van Patsy Cline en Roy Orbinson. Deze nieuwe muziek was anders: harde, stampende hard rock die door de open deur van Frank's Bar dreunde.
Zonder op het weinige verkeer op Main Street te letten stak Nell over en volgde het spoor van de muziek, even zeker als ze de zoete popcorn over het open veld gevolgd was.
Frank's Bar was net open en de enige drinkers op dat vroege uur waren de kwajongens. Billy Fisher en Stevie hingen aan de bar met een koud flesje bier in hun hand en keken toe hoe Shane en Jed de ballen op de pooltafel goed legden voor het eerste van een oneindige serie spelletjes.
Frank, de barkeeper, zette nog vier bier neer en trok zich in een hoek van de bar terug, alsof hij probeerde zoveel mogelijk afstand te bewaren tussen zichzelf en zijn vier beste, maar uiterst vervelende klanten. Hij verschool zich achter de *Snohomish County Prospector* van die dag en hoopte dat de jongens geen overlast zouden geven.
De vier hadden nu al onenigheid over wiens beurt het was geld in de jukebox te stoppen, een twistgesprek dat maar bleef doorgaan tot Shane een dollar in het apparaat duwde. Zijn keuze was voorspelbaar – Aerosmith, Guns N' Roses, Bon Jovi, Metallica – maar het ging hem er meer om dat er een paar minuten geen ruzie was, dan dat de muziek er toe deed.
Billy nam een teug bier en keek de bar rond. 'Is dit alles wat we vandaag gaan doen? Zomaar wat zitten hier?'
Jed legde de speelbal neer en gaf een stoot. De ballen in de driehoek rolden over het vlekkerige groene vilt. 'Heb je betere ideeën?'
Die had Billy uiteraard niet. Hij gromde alleen wat en goot nog meer bier in zijn keel.

Geen van hen had die ochtend werk; ze hadden eigenlijk de hele dag niets te doen en zaten zich nu al te vervelen. Ze hielden van bier en ze hielden van pool, maar dat was niet genoeg om hun dagen te vullen, zelfs niet bij hun geringe verwachtingen van het leven.

Op dat moment kon Billy Fisher gemakkelijk berusten in de saaiheid van zijn bestaan, maar een paar biertjes later zou hij zich slechtgehumeurd voelen en klaar zijn voor wat leven in de brouwerij.

Nell had er natuurlijk geen idee van dat ze zich in zo'n onaangename situatie begaf. Ze was er slechts in geïnteresseerd de bron van de fascinerende muziek te vinden. Ze stond in de deuropening, omkranst door het licht van de felle zon buiten, en voelde de betovering die de muziek had teweeggebracht. Ze tuurde aandachtig luisterend de bar in, zich in het geheel niet bewust van de mensen in de duistere ruimte.

Het duurde even voor Billy Nell in de deuropening zag staan; zijn reactie was bijna theatraal. Hij gaapte haar even aan en stootte Stevie vervolgens hard in zijn ribben.

'Kijk,' fluisterde hij. 'Dat is ze. Dat is die wilde vrouw waarover ik je verteld heb.'

Stevie keek over zijn schouder naar Nell. Alles wat hij zag was een knappe jonge vrouw in een zomerjurk – weliswaar zowel overdag als 's avonds een zeldzaam verschijnsel in Frank's Bar – en zeker niet het gillende viswijf waarover Billy hen had verteld.

'Die is niet wild,' zei Stevie. Niemand had Billy Fisher er ooit van beschuldigd dat hij zorgvuldig met de waarheid omging.

'Geloof me nou,' hield Billy aan. 'Ze is het. Het is verdomme die wilde vrouw.'

'Rot op.'

Billy liet zijn ogen waarderend over Nell's lichaam glijden. Door het felle daglicht stak ze scherp af tegen de duisternis in de bar. Door het verblindend licht werd haar jurk doorschijnend, zodat de contouren van haar slanke lichaam onder de dunne stof zichtbaar werden.

Billy nam nog een slok bier en veegde zijn mond af met de rug van zijn hand. 'Wilde vrouw of niet,' zei hij met een wellustige blik op haar, 'ze heeft niets aan onder die jurk.'

Stevie draaide snel zijn hoofd om en zag dat Billy Fisher voor één keer de waarheid vertelde. 'Wauw,' zei Stevie. 'Ze heeft ook geen beha aan.'
Nell was zich niet bewust van hun belangstelling. Ze was de muziek gevolgd en had ontdekt dat die van de fel verlichte kast in de hoek van de bar kwam. Met haar blik strak op de jukebox gericht liep ze ernaar toe.
Billy wenkte naar Stevie, gleed van zijn barkruk en liep met onzekere tred naar Nell toe. 'Hallo, schatje. Hoe gaat het met je?'
Nell wendde haar blik even van de jukebox af en keek hem aan.
'Wil je wat van me drinken, lieffie?' zei Billy, in een poging charmant te zijn. 'Wil je een biertje?'
Nell bleef hem aanstaren. Aan de pooltafel probeerde Jed bal nummer drie in de zak te stoten, maar hij miste, en er schoten drie of vier ballen over het groene vilt. Nell hoorde het tikken van de ballen en draaide zich om om te kijken hoe ze over de tafel rolden.
Billy Fisher grijnsde en smoesde tegen Stevie. 'Ze is oerstom,' zei hij.
'Maar wel knap,' zei Stevie.
'Zeg dat wel,' zei Billy, naar Nell's borsten lonkend. 'Zeg schatje, je begrijpt geen woord van wat ik zeg, hè?'
De biljartballen lagen nu weer stil en Nell begon Billy opnieuw aan te staren. Ze was zich er slechts ten dele van bewust dat Billy tegen haar sprak. Ze werd helemaal in beslag genomen door de muziek, die haar aan de grond vastnagelde.
'Hé, Jed, Shane,' riep Billy. 'Kom eens hier...'
Shane stond met uitgestoken keu over de tafel gebogen, klaar om te stoten. 'Waarom?'
'Kijk hier eens.'
De twee poolspelers keken op en zagen nu Nell ook voor het eerst.
Shane grijnsde zijn onregelmatige tanden bloot. 'Hé, schatje,' zei hij.
'Wie is dat?' vroeg Jed.
'Een vriendinnetje van me.' Hij gaf zijn vrienden een dikke knipoog. 'Kijk eens.' Hij trok zijn T-shirt omhoog, zodat zijn strakke buikspieren zichtbaar werden. 'Geniet je van mijn lichaam?' Hij

bewoog zijn spieren zo verleidelijk mogelijk. 'Mooi, hè. Wil je me nu de jouwe laten zien?'
Shane, Jed en Stevie waren wat dichterbij gekomen. Ze stonden alle drie te grijnzen.
'Jezus, ja,' zei Stevie.
'Laat zien.'
'Je hebt toch niks aan onder die jurk?' zei Billy lachend en wees knipogend naar de jurk. 'Wil je hem niet uitdoen?'
Nell begreep dat hij het over haar nieuwe kleren had en was trots dat hij gezien had dat ze zo mooi gekleed was. Ze trok de zoom op, net als ze op de trap van de hut had gedaan, en draaide zich half om, alsof ze het kledingstuk showde.
Billy klikte met zijn tong en klapte in zijn handen. 'Heel goed, schatje. Laat ons maar zien wat je in huis hebt.'
De anderen bulderden van het lachen en in hun luidruchtige gejoel gingen Nell's woorden haast verloren.
'*Net as Pau'a*,' zei ze.
'Ja, zeg dat wel.' Billy sloeg met zijn hand tegen zijn borst en greep zijn eigen tepels. 'Laat die lekkere tietjes eens zien, lieffie!' Hij draaide zich om en zwaaide met zijn achterste naar haar. 'Kom op, schatje, laat dat lekkere kontje zien!'
'Billy...' waarschuwde Frank. De barkeeper legde zijn krant neer en zocht naar de met leer bedekte loden pijp die hij onder de bar had liggen. Hij wilde niet dat de zaken uit de hand liepen, maar hij zou het wapen zo nodig gebruiken. Het zou niet de eerste keer zijn dat hij zijn knuppel liet kennis maken met het achterhoofd van Billy Fisher. Zo ging het nu eenmaal in Frank's Bar.
'Kom op, Frank,' zei Billy opgewonden. 'We maken gewoon wat lol.'
Nell had Billy's pantomime begrepen. Ze had geen enkel schaamtegevoel en Jerry had haar ervan overtuigd dat mannen niet zulke boosdoeners waren als ze altijd had moeten geloven.
De muziek stopte plotseling, aangezien de dollar van Shane op was. De stilte van het moment verbrak de betovering van de muziek. In de plotselinge stilte ontdeed Nell zich van haar jack, bukte zich, pakte de zoom van haar jurk en trok die over haar hoofd, waarna ze hem op de grond liet vallen. Ze stond nu naakt, op haar onderbroek en sandalen na.

De lach bevroor op hun gezichten en een voor een vielen hun monden open van verbazing. Plotseling voelden de jongens zich nerveus en onzeker. Zelfs Billy had niet echt geloofd dat Nell haar kleren uit zou doen. En zelfs Frank, die toch vrijwel alles al had meegemaakt in het caféleven, keek ontsteld.
Nell staarde hen aan met haar heldere ogen. Ze konden haar openhartige blik niet verdragen, de eenvoud die erin lag en het gebrek aan schaamte. Nell was onschuldig en plotseling schaamden ze zich allemaal voor wat ze hadden gedaan. Ze deinsden voor haar terug alsof ze gloeiend heet was.
'Nell!' Lovell stond in de deuropening. Hij liep met grote passen de bar in. 'Wel verdomme!' Hij raapte Nell's kleren bij elkaar en probeerde de jurk over haar hoofd te trekken. Lovell richtte zich nu tot de jongens, die achteruit liepen. 'Wat hebben jullie verdomme met haar gedaan?'
'Niets,' mompelde Billy. Hij durfde de woedende Lovell niet in zijn ogen te kijken. 'We hebben niks gedaan, dokter. Ze is gewoon gek, dat is alles. *Crazy*.'
Nell luisterde naar Billy en begreep slechts één woord. '*Crazy?*' zei ze. Daarop begon ze te zingen. '*Crazy... Fo' thinkin' tha' ma love coo' ho' you...*'
'O, Nell...' zei Lovell, die het plotseling volkomen beu was. Hij trok de jurk over haar hoofd en voerde haar armen door de mouwen, alsof ze een klein meisje was. 'Wat moet ik toch met je beginnen?'
Onder haar opgekreukelde jurk bleef Nell haar lied zingen. '*Ah crazy fo' tryin'... An'ah...*' Haar hoofd kwam tevoorschijn boven de boord en ze keek Lovell met blije ogen aan. '*Crazy*.'

'Polymorfe perversiteit,' zei Olsen tegen Lovell. Ze leidden Nell over het trottoir van Main Street. Ze neuriede vrolijk in zichzelf, zich er volstrekt niet van bewust dat er in Frank's Bar iets vervelends was gebeurd.
'Er is niets pervers aan,' zei Lovell. 'Ze had geen idee van wat er gebeurde.'
'Nou, ja en nee. Polymorfe perversiteit is een hoogdravende psychologische term voor wat eigenlijk neerkomt op het aloude "laat me de jouwe zien, dan laat ik de mijne zien". Het is een

enge naam voor volkomen normaal kinderlijk seksueel gedrag.'
'Al die dokterspelletjes toen ik kind was, was dat polymorfe perversiteit?'
Olsen lachte. 'Min of meer.'
'Geen wonder dat ik medicijnen ging studeren.'
'Nell heeft de geslachtsdelen nog niet als bron van seksuele activiteit ontdekt,' verklaarde Paula. 'En ze weet ook niets over geslachtsgemeenschap, maar ergens achter in haar hoofd weet ze dat er íets aan de hand is.'
'Moeten we haar erover vertellen?'
'Wil jij het doen?'
'Nee. Jij?'
'Jij bent de dokter.'
'Jawel, maar...' Hij leek zich te generen. 'Ik ben niet zo goed in dit soort dingen.'
'Wat moeten we dan doen? Wachten tot ze Billy Fisher en zijn vrienden weer tegen het lijf loopt?'
'Ze waren doodsbang,' zei Lovell. 'Ze zouden nog geen pink naar haar durven uitsteken.'
'Maar wat als ze nog een paar biertjes op hadden gehad? Wat als ze iemand tegenkomt die wèl een pink naar haar durft uit te steken? Je weet even goed als ik dat iemand met een geestelijke achterstand het risico loopt seksueel misbruikt te worden.'
'Ze is niet achter,' hield Lovell vol.
Paula Olsen was niet in de stemming om over terminologie te kibbelen. 'Nell is kwetsbaar, Jerry. Ze moet toch enig idee hebben waar seks om draait?'
'Goed, goed. Breng jij haar terug naar de hut. Ik zorg er wel voor.'

Jerry Lovell leende Amy Blanchards auto en reed een paar minuten later met grote vaart bergafwaarts naar Monroe. Het was de enige redelijk grote stad in het gebied, de enige plaats die groot genoeg was om te kunnen bogen op een heuse boekhandel. Richfielders die van literatuur hielden moesten zich tevreden stellen met een rek pockets in de plaatselijke supermarkt.
Toch was ook de boekhandel in Monroe niet geweldig en Lovell wist zelfs niet helemaal zeker of wat hij zocht er op de planken zou staan.

'Hebt u boeken over seksuele voorlichting?' vroeg hij de verkoopster achter de hoofdkassa. Hij praatte zacht en keek terwijl hij sprak de zaak rond, in de hoop dat hij niemand zag die hij kende. Lovell wist dat het stompzinnig was, maar hij voelde zich als een te jonge puber die een *Playboy* probeerde te kopen.
De verkoopster glimlachte vriendelijk. 'Jazeker. Is het voor een volwassene of een kind?'
Lovell wist zeker dat de vrouw er geen idee van had hoe moeilijk het was een dergelijke vraag te beantwoorden. 'Een kind, geloof ik.'
'Goed. Komt u maar even mee.' Ze liep de winkel door, terwijl Lovell volgde. 'Hoe oud is het kind?'
'Eh, nou... Ze kan nog niet lezen.'
'Dus u wilt iets met plaatjes?'
Lovell knikte. 'Klopt.'
De verkoopster liet haar oog langs een plank met boeken glijden. Ze trok er een boek uit en liet het aan hem zien. 'Kijk eens,' zei ze. 'Wat dacht u hiervan?'
'*Waar kom ik toch vandaan?*' las Lovell. 'Dat is een vraag die iedereen zich op een gegeven moment wel stelt, niet?'
De verkoopster begon zich af te vragen of ze niet met een malloot van doen had. 'Ja, ja. Ze zeggen dat het erg populair is bij de ouders.'
Lovell bladerde het boek door. Het was een eenvoudig werkje met fel gekleurde, stripachtige tekeningen. Er waren afbeeldingen van pret makende vogels en rondzoemende bijen, evenals vaders en moeders met kleine kinderen die gelukkig met elkaar knuffelden. Er stonden zelfs kinderlijke tekeningen in van zaadcellen en eitjes, elk met een groot gelukkig gezicht.
'Ik zie geen afbeeldingen waarop staat wat er echt gebeurt,' zei Lovell. 'Weet u, een man en een vrouw die echt bezig zijn met...'
'O,' zei de verkoopster snel. 'U wilt seksuele voorlichting voor volwassenen.'
Lovell keek verbaasd. 'Mogen kinderen er niets van weten?'
De vrouw lachte nerveus. 'Tja, het is een gevoelig onderwerp. Je hoort tegenwoordig zoveel verhalen. Ze zijn maar één keer jong, nietwaar?'
'Ik denk het wel... Kijk, ik heb nogal haast en ik vroeg me af of u ook iets had dat wat meer.... wat beeldender was.'

'Voor een kind?' De vrouw keek alsof ze erover dacht de politie te gaan bellen.
'Nee.'
'U zei toch echt "kind", meneer.'
'Ja ja, dat weet ik.' Lovell slikte en merkte dat hij begon te zweten. 'Maar het is eigenlijk voor mezelf.'
De verkoopster keek hem lang en streng aan, met een blik die suggereerde dat als hij nu nog niet wist waar de baby's vandaan kwamen, het vermoedelijk te laat was. 'Natuurlijk.'
Van een hoge plank aan de andere kant van de winkel pakte ze een dik boek. Op het omslag stond een smaakvolle tekening van een naakt stel dat in elkaars armen lag.
'Deze dan, meneer. *Het verhaal van de liefde.*'
Lovell nam het boek in zijn handen. Het was in dik plastic gewikkeld. 'Mag ik het openmaken?'
'Natuurlijk, meneer,' zei de verkoopster. 'Nadat u het gekocht hebt...'

Jerry kwam nog voor zonsondergang bij de blokhut aan. Nell had Paula's kleren weer verwisseld voor die van haarzelf en zat op de veranda met Paula. Haar gezicht fleurde op toen ze Jerry zag.
'*Je'y!*'
'Dag Nell. Ik heb een cadeautje voor je meegebracht.' Hij legde het boek in haar handen. Nell nam het plechtig aan alsof het een gewijd voorwerp was, wat volstrekt begrijpelijk was. Tot op dat moment was er slechts één boek in haar leven geweest, haar geliefde gezinsbijbel, het Woord van de Heer.
'*Woo'vede hee*'?' vroeg Nell.
Lovell schudde zijn hoofd. 'Nou, nee.'
Nell keek nieuwsgierig naar het boek en sloeg een voor een de bladzijden om.
'Nell,' zei Lovell. 'Ik wil dat je dit boek eens bekijkt. Wij wachten daar.' Hij wees naar het zeildoek. 'Als je over een van deze dingen vragen hebt, dan kom je naar ons toe. Goed. *Reken?*'
Nell knikte, maar bleef naar het boek kijken. '*Reken, Je'y.*'
'Mooi.'
Lovell en Olsen trokken zich terug onder het zonnescherm. 'Ik

wilde niet over haar heen blijven staan terwijl zij het boek bekeek. Ik dacht dat het goed zou zijn voor haar zelfbewustzijn.'
'Ze is zich niet bewust van zichzelf,' zei Olsen, hem plagend met haar beroepsidioom.
'Genoeg jargon. Het zal goed voor haar zelfbewustzijn zijn als ze naar de afbeeldingen in dat boek kijkt. Het zal haar een goed idee van schaamte geven, net als ons allemaal.'
'*Het verhaal van de liefde?*' lachte Olsen. 'Ik wil het na haar lenen want ik wil er reuze graag achterkomen hoe dàt verhaal afloopt.'
Lovell lachte schaapachtig. 'Goed, het is onecht. Misschien heb jij een beter idee?'
'Nee,' zei ze schouderophalend. 'Ik denk dat we het met *Het verhaal van de liefde* moeten doen.'
Ze bleven een tijdje zwijgend zitten kijken naar Nell aan de overkant van het veld. Ze ging geheel op in het boek en concentreerde zich op elk detail van elke afbeelding. Zowel Lovell als Olsen vonden het grappig en tegelijk ontroerend om naar haar te kijken, te zien hoe de uitdrukking op haar expressieve gezicht steeds veranderde. Ze sloeg de bladzijden om, waarbij er eerst ongeloof en geschoktheid op haar gezicht te zien waren en later ontzag; haar blik viel op iets en haar vergenoegde lach klonk door de avondlucht.
'Als iemand zo tegen me lacht, dan blijf ik de rest van mijn leven celibatair,' zei Lovell.
'Vat het niet zo persoonlijk op.'
'Ben je er nog niet achter dat ik alles persoonlijk opvat?' vroeg Lovell.
'Nu je het zegt...'
Lovell stak zijn kin in Nell's richting uit. 'Hebben jouw ouders dit voor jou gedaan? Hebben ze je een boek gegeven waarin het hele mysterie van de seks werd ontsluierd?'
'Kom nou. Mijn moeder ging nog liever dood dan dat ze me een dergelijk boek gaf. Had jij een boek?'
Lovell knikte. 'Ja hoor. Reken maar. *De gids voor de jeugd over leven en liefde.*'
'Daar stond zeker alles in.'
'Niet echt. Het was zo schimmig dat ik er net zoveel van begreep als ik van Nietzsche gesnapt zou hebben. Ik had het idee dat het

prikkelend was, maar ik kon er niet precies de vinger op leggen, zogezegd.'
'Nou,' zei Olsen, 'zoveel had ik niet eens.'
'Hoe ben jij er dan achtergekomen?'
'Vriendinnen op school. En jij? Hoe heb jij over de bloemetjes en de bijtjes geleerd?'
'Mijn neef Jack heeft me erover verteld. Hij was zes jaar ouder dan ik. Ik dacht dat hij alle antwoorden wist. Ik bedoel, hoe kon ik er anders over denken? Jack had zelfs al een rijbewijs. Iemand aan wie pa zijn Oldsmobile toevertrouwde moest je toch wel vertrouwen, nietwaar?'
'Echt? Hoe oud was je toen hij het vertelde?'
Lovell keek omhoog en toen weer naar Olsen. 'Ik moet ongeveer tien geweest zijn. Ik had er al wat over gehoord. Het bleek dat hij gewoon bevestigde wat ik al van horen zeggen wist. Maar hij vertelde me één ding dat ik niet wist. Dat maakte diepe indruk op me.'
'Wat dan?'
Lovell lachte toen hij de herinnering weer ophaalde. 'Jack vertelde me dat wanneer je met een vrouw naar bed gaat – zo netjes zei hij het niet – dat dan je lichaam het overneemt.'
'Overneemt?'
'Ja. Hij zei dat het was alsof je op de automatische piloot functioneerde. Dat ben ik nooit vergeten. Maar de eerste keer dat ik met een meisje ging...' Hij vertrok zijn gezicht. 'Geen automatische piloot. Ik wachtte. Niets.'
'Dat is heel galant, slimmerd,' zei Olsen. 'De vrouwen kampeerden zeker voor je deur.'
'Niet precies.'
'Wat gebeurde er dan?'
'O, god.' Lovell kon slechts om zichzelf lachen. 'Na een tijdje zei het meisje: "Ik kan het niet voor je doen, Jerry." Ik kon wel doodgaan. Ik wist zeker dat mijn eerste keer ook mijn laatste zou zijn.'
'Automatische piloot! Jezus!'
'Ik was jong en stom,' zei Lovell, die zichzelf met vuur begon te verdedigen. 'En ik had een malloot van een oudere neef. Alsof dat mijn schuld is.'

Nell kwam op hen af over het veld met *Het verhaal van de liefde* in haar hand. Ze bleef voor Lovell en Olsen stilstaan en liet hun een tekening over twee pagina's zien van een man en een vrouw die aan het vrijen waren. De illustratie was in die zin terughoudend dat deze niet prikkelend of pornografisch was, maar liet verder niets aan de verbeelding over.
'*Je'y?*' vroeg Nell, terwijl ze verlegen als een klein meisje heen en weer draaide.
'Ja, Nell.'
'Dat heet vrijen, Nell.'
'V'ijen...' Ze dacht hier even over na en zei het woord zwijgend na, alsof ze het in haar geheugen opsloeg. Ze wees naar de man op de afbeelding. '*Je'y.*' Daarop wees ze naar de vrouw. '*Pau'a.*'
Jerry keek naar Paula en schoof ongemakkelijk heen en weer. 'Nou, niet precies...'
Olsen kwam tussenbeide, hevig knikkend. 'Dat klopt Nell. Dat zijn Jerry en Paula.'
Nell leek erg blij te zijn met deze informatie. Ze legde het boek opzij, greep Lovell's hand en liet die strelend over Olsens wang gaan. Daarop nam ze Olsens hand en streelde er Lovell's wang mee.
Nell nam haar eigen handen weg, ging wat naar achteren zitten en bekeek wat ze in beweging had gezet. Ze fluisterde: 'V'ijen.'
Lovell keek Olsen aan terwijl ze elkaar aanraakten en hij raakte haar iets langer aan dan zij hem. Hij was verrast door de plotselinge warmte van zijn eigen verlangen...

Die avond lag Nell in haar bed te denken aan de honderden wonderlijke zaken die ze die dag had gezien en gehoord. Haar nieuwe kleren hingen aan een kleerhanger die aan een spijker in de muur bungelde. Nell keek ernaar met een tintelend gevoel van geluk. Ze was verbaasd en blij dat ze zulke prachtige kleren had.
Nell voelde nog steeds de sensatie van haar eerste kennismaking met snelheid. Ze kon nog steeds de wind in haar haren voelen. Ze was verbaasd over het aantal mensen dat ze had gezien en nog steeds van streek over de zielige vrouw die ze op straat had ontmoet. Ze was verbijsterd over het enorme aantal vreemde za-

ken in de supermarkt; de ontmoeting in de bar was voor haar een raadsel.
Maar het was het boek dat haar het meest getroffen had. Terwijl ze nadacht over wat ze gezien had, vulden haar ogen zich met een afwezige droefenis. Diep van binnen kon ze iets voelen, een soort pijn, terwijl ze hunkerde naar de intimiteit die zo duidelijk van de bladzijden van het boek af straalde.
In het donker stak Nell een hand uit. Haar vingers tastten in het duister alsof ze iets zochten. Opeens grepen haar vingers op magische wijze in een andere hand en riep Nell het beeld van haar tweelingzus bij zich op.
Ze fluisterden samen. '*Dibbe, dibbe, dibbetje... Kei'en mei en mei'en kei... Ressa, ressa, ressa mei... Dibbe dibbetje...*' Plotseling was Nell weer zeven jaar en lag ze nog steeds in bed. De twee zusters lagen in elkaars armen, in elkaar verstrengeld als minnaars.

23

Lovell noch Olsen had zich gerealiseerd hoe veeleisend en emotioneel de dag geweest was, tot ze na het avondeten een paar glazen wijn genuttigd hadden. Jerry keek nu anders naar Paula. Hij was zich bewust geworden van haar aantrekkelijkheid en dit verwarde hem. Olsen ontging het van haar kant niet dat er een subtiele verandering in hun relatie had plaatsgevonden, en niet alleen tussen hen, maar ook tussen hen en Nell.

'Denk je dat het verkeerd is wat we doen?' vroeg Paula.

'Wat doen we dan?' Lovell wist niet zeker of hij haar antwoord wel wilde horen.

'We staan ons zelf toe Nell's ouderpersonages te worden. Kan dat wel goed zijn?'

'Ik denk dat het ervan afhangt wat voor ouders we zijn. Denk je zelf ook niet?'

'Het kan alleen helpen als...'

'Als?'

'Als het erop lijkt dat we met elkaar overweg kunnen. Ze mag ons geen ruzie zien maken zoals gisteravond. Het is een diep geworteld instinct dat je wilt dat de personen met gezag in je leven een vaste band met elkaar hebben.'

'De angst dat vader en moeder 's nachts ruzie maken, hè?' Lovell schonk zich nog een glas wijn in.

'Dat klopt. De afbeeldingen in het boek betekenden veel voor haar,' zei Paula. 'Daarom liet ik toe dat ze ons met die tekeningen identificeerde. Ik hoop dat je het niet erg vindt.'

Lovell schudde zijn hoofd. 'Nee.'

'Uit al het onderzoek blijkt dat kinderen die denken dat hun ouders een goed seksleven hebben, later zelf veel betere seksuele relaties hebben.'

'Is dat zo? Blijkt dat uit de onderzoeken?' Lovell moest hier toch even meesmuilend om lachen. 'Is het zo belangrijk dat Nell een goed seksleven heeft, in dit stadium tenminste?'

'Het kan geen kwaad.'

Lovell nam een slokje wijn. 'Hadden jouw ouders een goed seksleven?'
Nu was het Olsens beurt meesmuilend te lachen. 'Drie keer raden.'
'Laat me raden...' Hij keek haar aan over zijn wijnglas. 'Je vader liep bij je moeder weg toen je... vijftien was, niet?'
'Fout. Elf. Alle onderzoeken zeggen dat dat de leeftijd is waarop zoiets het hardst aankomt bij een kind.' Olsen lachte niet meer. Haar ogen stonden somber en er verscheen een pijnlijke uitdrukking op haar gezicht, alsof haar herinnering op een wond drukte.
'Waarom zeg je dat zo?'
'Hoe moet ik het dan zeggen?'
'Onderzoek,' zei hij. 'Altijd maar dat onderzoek. Als het niet onderzocht is, dan is het niet gebeurd. Kan het niet gebeuren. Mag het niet gebeuren. Is het dat?'
'Mijn leven draait om onderzoek.' Ze lachte flauwtjes. 'Ik heb een hoop tijd in onderzoek geïnvesteerd. Als het onderzoek niet goed is, dan heb ik mijn tijd verspild. Dat zou pas moeilijk te verteren zijn, in dit stadium.'
Lovell schudde zijn hoofd. 'Nee, dat is niet waar jouw leven om draait. Verre van dat zelfs. Ik wil niets over dat onderzoek horen. Ik wil over jou zelf horen.'
'Misschien wil ik niet over mezelf praten.'
'Waarom niet?'
Paula schoof heen en weer in haar stoel en keek de andere kant op. Ze voelde zich altijd meer op haar gemak als zij de vragen stelde. 'Wat is dit? Een soort ondervraging?'
Lovell deinsde onmiddellijk terug en stak zijn handen in de lucht, alsof hij zich verdedigde. 'Goed. Laat maar zitten. Sorry, Ik dacht dat jij het type was dat denkt dat het goed is om dingen naar buiten te gooien. Je weet wel, de zaken uitpraten.'
'Daar heb ik niets mee op,' zei ze nors. 'Ik hou niet van die therapieklasjes zoals bij Oprah Winfrey. Je vertelt de hele wereld je geheime schaamte, het publiek klapt en je bent genezen als de laatste reclame begint.'
'Ik probeer je niet te genezen,' protesteerde Lovell. 'Weet je nog? Geen medicijnen? Geen operaties. Ik. Lovell. De verdomde schijtluis?'

'O, jij.' Paula wist een lachje tevoorschijn te brengen. 'Dan is het goed, denk ik.'
'Maar je weet dat ik echt meer wil weten over je geheime schaamte.'
'Die ken je al.'
'O, ja? Zijn het weer je flaporen?'
Olsen lachte en schudde haar hoofd.
'Gaat het over de man-vrouwkwestie?'
'Jep.'
Lovell grijnsde over zijn hele gezicht en stak zijn armen in de lucht alsof hij haar wilde omhelzen. 'Hoe erg kan dat nu zijn? Iedereen heeft een bepaalde geheime schaamte over de man-vrouwkwestie. En van wat ik heb gehoord over mannen en mannen, dan is het met vrouwen en vrouwen niet veel gemakkelijker.'
'Ja? Nou, mijn man-vrouwkwestie is toevallig *mijn* probleem. Laten we gewoon zeggen dat ik de slag nog steeds niet te pakken heb.' Ze zuchtte diep en schudde haar hoofd. 'Heb jij soms niet gewoon een hekel aan het leven?'
'Hoe weet je dat? Je bent net begonnen.'
'O, natuurlijk. Ik ben pas negenentwintig.' Ze zweeg even. 'Dat is even oud als Nell.' Paula hield haar wijnglas vast terwijl haar onderarm op de tafel rustte. Plotseling begon haar rechterhand te schudden. De tremor begon in haar vingers en zette zich voort over haar hele arm.
'Moet je dat eens zien.' Om hem te laten kijken tilde ze haar hand op, die hevig trilde. 'Dat gebeurt altijd als ik gespannen ben.' Ze pakte haar rechterhand met haar linker vast in een vergeefse poging de tic te doen ophouden. 'Verdomme!' Paula sprong op. Lovell kon zien dat haar ogen vochtig waren, alsof ze op het punt stond in tranen uit te barsten. 'Sorry. Ik moet een stukje gaan lopen.'
Lovell was onthutst. Hij vermoedde tot op dat moment niet dat hun gesprek emotioneel zo veel van haar vroeg.
'Kan ik soms iets voor je doen?' Hij leek oprecht van streek, vond het erg dat ze het zo moeilijk had.
Paula kon geen woord meer uitbrengen. Ze kon alleen nog haar lippen op elkaar persen en een ontkennend knikje met haar hoofd maken voor ze de loopplank afliep, het open veld in.

Ver weg, diep in het duister, hield ze stil en kromp ineen. Haar hele lichaam trilde nu en ze snakte naar adem, terwijl ze probeerde zoveel mogelijk koele avondlucht in te ademen in de hoop dat het haar snel kloppende hart zou kalmeren. Haar gesprek met Lovell had haar volkomen van streek gemaakt en allerlei lang onderdrukte hartstochten en misère kwamen ergens diep uit haar binnenste naar buiten. Warme, zoute tranen liepen over haar wangen en ze begroef haar gezicht in haar handen, terwijl ze probeerde niet hardop te snikken. Ze zakte op de grond en haar knieën drukten in de zachte aarde, terwijl haar haren in haar gezicht hingen.

Paula sprong op toen ze een hand op haar schouder voelde. 'Verdomme, Lovell,' snauwde ze. 'Ik zei dat ik niet...'

'*Pau'a?*' Nell's ogen gingen onderzoekend over Paula's gezicht, op zoek naar de bron van haar pijn.

De schok en de verrassing Nell te zien, leken haar enigszins te kalmeren. Olsen haalde diep adem en probeerde kalm te lijken. 'Nell? Is er iets?'

'*Is e' ies?*'

Paula wist dat Nell's woorden niets dan blinde imitatie waren, maar het klonk tegelijk als een echte vraag, alsof Nell echt graag wilde begrijpen wat er met haar vriendin aan de hand was.

'*Doenie hui'...*' zei Nell. Ze zei het op de toon waarop iemand een kind zou kalmeren. Ze schudde haar hoofd langzaam voor- en achterwaarts terwijl ze sprak. '*Doenie hui'...*'

Olsen probeerde Nell's bezorgdheid weg te nemen. 'Ik huil niet,' hield ze vol. Maar ze kon haar tranen niet beheersen. 'O, verdomme, ik huil wel.' Ze veegde haar tranen weg en probeerde te lachen. 'En ik zou degene moeten zijn die jou moet helpen.'

Nell leek het volkomen te snappen. Ze lachte begrijpend, met een inzicht dat Paula nooit eerder gezien had. Ze stak een hand uit en streelde Olsens wang met haar tedere, liefhebbende gebaar. Hier was sprake van een simpele bezorgdheid en betrokkenheid, een onschuldige tederheid die diep doordrong. Ze kon zich niet inhouden. Terwijl Nell haar in haar armen nam, begon ze te huilen met lange uithalen die haar lichaam deden schudden, een vreselijke opwelling van pijn die uit haar binnenste kwam.

Nell wiegde haar, streelde haar haren en mompelde lieve woordjes in Paula's oor. *'Doenie hui', missa dibbe. Doenie hui', missa dibbetje. Sussene, sussene...'*
Paula kreunde zachtjes en huilde nog wat. Ze wist niet precies waarom ze huilde, het was niets en alles tegelijk. Maar ze wist dat ze moest huilen.
Ze huilde om haar verleden, om het stukgelopen huwelijk van haar ouders, om haar vader die ze verloren had voor ze ooit de kans had gehad hem echt te leren kennen; om de familie die ze ooit had gehad en die ze was kwijtgeraakt.
Ze huilde om alle ongelukkige, gebroken kinderen die ze had gezien, de kinderen die ze zo koel bestudeerd had, zelfs als ze met zichzelf vocht om te proberen afstandelijk en koel te blijven. Het was hetzelfde patroon dat haar eigen innerlijk binnendrong; haar weerzin zich te hechten, haar onvermogen zich te binden, om aan de slag te gaan met wat ze schertsend de man-vrouwkwestie had genoemd. Paula huilde omdat ze bang was verliefd te worden.
Ze huilde omdat ze moe was. Ze wilde niet langer sterk zijn.
'*Sussene pokies, sussene dokies,*' fluisterde Nell. Net als Paula ooit absoluut vertrouwen had gehad in de wetenschap, in hard werken, veldwerk en onderzoek, klonk Nell alsof ze onvoorwaardelijk vertrouwen stelde in de kracht van haar troostende woorden.
'*Sussene sien, sussene bang, sussene wek, sussene alo'lek...*'
Haar zachte handen volgden haar liefhebbende stem en wisten Paula tot kalmte te brengen. Nell boog haar hoofd en trok Paula naar zich toe. Paula liet zich gaan en schikte zich in Nell's omhelzing tot hun voorhoofden elkaar raakten. Ze bleven zo enkele momenten zitten, terwijl de stilte hen als een zachte, behaaglijke deken omsloot. Hun voorhoofden waren tegen elkaar gedrukt, alsof ze eensgezind dachten, hun hersenen en lichaam functioneerden synchroon terwijl ze zonder woorden communiceerden.
Nell bewoog nu haar gezicht iets en wreef haar zachte wang heel licht tegen die van Paula.
Geknield knuffelden ze als dieren, wang tegen wang, in een intieme liefkozing. Hun ogen waren gesloten, maar Paula voelde dat ze voor het eerst sinds lange tijd duidelijk kon zien. Ze zag

dat hun rollen omgedraaid waren; zij was degene die de weg kwijtgeraakt was, de onschuldige die verdwaald was geraakt in een verbijsterende, verwarrende wereld. Nell was de gids, de padvinder die de weg uit het woud der verwarring zou wijzen.
Nell was gelukkig en ontspannen. Eindelijk had ze het gevoel dat ze toch nog verenigd was met haar zus, haar verloren tweelingzus.

24

Door de langgerekte schaduwen van de bomen drong het zachtblauwe ochtendlicht gefilterd op het open veld door. Er kwam geen wind van het meer en het wateroppervlak was vrijwel glad; de kleine rimpelingen konden de kiezels op de oever niet in beweging brengen. Hoewel het nog vroeg in de ochtend was, waren Lovell en Olsen allebei wakker. Uit het keukentje van de woonboot kwamen de geluiden die bij het klaarmaken van een ontbijt hoorden.

Paula voelde zich helder en alert. De verwarring van de vorige avond was verdwenen, alsof Nell er op een of andere manier voor gezorgd had dat haar pijn verdween. Ze had Lovell niet verteld over haar ontmoeting met Nell; ze wist niet of ze dat ooit zou doen, uit angst dat Jerry haar niet zou geloven.

Wellicht was Nell al wakker, maar er was geen teken van haar in de blokhut of het omringende bos.

De politieauto van sheriff Todd Petersen kwam aanhobbelen over het bospad en verstoorde ruw de ochtendrust die op het terrein heerste. Aangezien er nooit bezoek kwam op het terrein, en dat ook niet welkom was, kwam Lovell het kampeerbusje al uit voordat Petersens auto tot stilstand was gekomen. Hij zag tot zijn opluchting dat het om goed volk ging, maar hij zag tot zijn verrassing ook dat Petersen een passagier bij zich had, zijn vrouw Mary.

'Todd,' riep Lovell. 'Je hebt Mary bij je. Is alles goed?' Hij ging uit van het ergste, dat dit een noodgeval was en dat Petersen, die geen contact met hem had kunnen opnemen om naar zijn vrouw te komen kijken, gedwongen was geweest helemaal hierheen te rijden. Lovell had de laatste paar weken nauwelijks nog aan zijn gewone praktijk gedacht. Nu drong echter het ontmoedigende feit tot hem door dat hij op een dag weer terug zou moeten keren naar de echte wereld.

Petersen stapte zijn wagen uit met een opgevouwen krant onder zijn arm. 'Geen paniek, Jerry. Er is niets aan de hand, tenminste

niet met Mary. Ze wilde meekomen, maar vraag me niet waarom...'
'Laat haar maar hierheen komen, Todd. De koffie staat klaar.'
'Neuh, laat maar. Ze wil in de auto blijven zitten. Ze redt zich wel.' Mary leek van dit alles niets te hebben gehoord. Ze hield haar blik strak gericht op de hut van Nell aan de overkant van het terrein.
Todd Petersen stak de krant uit. 'Het spijt me dat ik het je moet vertellen, Jerry, maar het verhaal is uitgelekt.'
Lovell voelde zijn maag omdraaien en in zijn borst voelde hij iets met kracht samentrekken. 'O, Jezus,' zuchtte hij en zijn brede schouders zakten af. Hij bekeek het verhaal en was niet verbaasd de naam van Mike Ibarra als auteur aan te treffen. De kop luidde precies zoals hij gevreesd had – WILDE VROUW GEVONDEN IN BOS – en het chapeau – *'Woeste' vrouw is gesprek van de dag in district Snohomish* – vertelde nieuwsgierigen precies waar ze naar haar moesten zoeken.
'Waarom konden ze haar niet met rust laten, Todd?'
Petersen schudde langzaam zijn hoofd. 'Ik zou het bij god niet weten, Jerry. Misschien voelen de mensen zich beter als ze over iemand horen die volgens hen slechter af is. Dat denk ik.'
Lovell liep moedeloos naar de woonboot. 'Wil je die kop koffie, Tod? Je krijgt er een hele voorstelling bij. Want als ik dit aan Paula laat zien, slaan de stoppen bij haar door.'
Todd Petersen lachte. 'Dat zal wel, ja. Het bespaart je de moeite de politie te moeten bellen.'
Maar Lovell had het fout. Paula Olsen las het hele artikel door voordat ze iets zei en toen ze klaar was, legde ze slechts schouderophalend de krant opzij.
'Tja,' zei ze op berustende toon. 'Dat moest nu eenmaal een keer gebeuren, denk ik.'
Lovell was zo geërgerd, zo opgewonden door deze ongewilde publiciteit, dat hij niet opmerkte dat Paula veranderd leek sinds de vorige avond. Ze was milder, rustiger, beheerster.
Lovell liep de kleine ruimte op en neer, terwijl de woede van hem afstraalde. 'Wat doen we? Wat doen we in godsnaam?'
'Je kunt er niet veel aan doen,' zei Petersen.

'We gaan verder zoals we begonnen zijn,' zei Paula. 'En we hopen dat de mensen ons met rust laten.'
'Dat is echt een geweldig idee, zei Lovell sarcastisch. 'Heb je er nog meer?'
'Nee,' zei Paula vriendelijk. 'Dat is alles.'
'Godverdomme!'
'Misschien heeft het geen gevolgen,' zei Petersen. Hij tuurde uit het raam over het water.
'Hou toch op,' zei Lovell. 'Zodra dit bekend wordt komen de mensen hierheen om een kijkje te kunnen nemen bij de dwaas die in het bos woont. Ze zullen van deze plek verdomme een kermis maken. Het is niet eerlijk... Het is niet eerlijk tegenover Nell. Ze is niet gewend aan andere mensen. En vreemden zullen haar doodsbang maken.'
'Het ziekenhuis, Jerry,' zei Paula. 'Denk er toch eens over na. Daar kunnen we garanderen dat ze veilig is.'
Ze hoorden dat buiten een autoportier dichtgeslagen werd.
'Daar komen ze,' zei Lovell verbitterd. 'De gieren.'
Todd Petersen stond nog bij het raam. 'Nee, je hebt ongelijk, Jerry, het is Mary...' Zijn vrouw was uit de politieauto gestapt en liep nu over het open terrein recht op Nell's huis af.
'Ze gaat de hut in,' zei Petersen. Hij liep op de deur af, maar Olsen hield hem tegen.
'Laat haar gaan,' zei ze.
'Ze gaat daar naar binnen.'
'Weet ik. Laat haar gaan.' Ze bleef zacht praten, maar haar stem bevatte een overtuigd, kalm gezag.
'Paula!' schreeuwde Lovell. 'Wat denk je verdomme wel dat je doet? Mary is een volkomen vreemde voor Nell. Ze mag dan wel onschuldig zijn, maar dat weet Nell niet!'
'Ze is niet helemaal een vreemde. Ze hebben elkaar gisteren ontmoet, weet je nog?'
'Dat heeft helemaal niks te betekenen!'
'Zeker wel.' Geen van beide mannen had gezien wat er de dag tevoren in dat ene ogenblik tussen Mary en Nell gebeurd was. Maar Paula had het wel degelijk gezien en na haar ervaring met Nell de vorige avond zag ze er geen kwaad in als een gepijnigde ziel als Mary Petersen bij Nell soelaas zocht.

'Wat gaan we nu doen? Kaartjes verkopen?' Lovell keek uit het raam en zag Mary bij de deur van de blokhut staan. Nell verscheen en leek niet verrast haar bezoeker te zien. Met een lachje verwelkomde ze haar en liet haar binnen, waarna de twee in het donkere huis verdwenen.
'Wat gebeurt er?'
'Niets engs,' zei Paula. 'Maak je geen zorgen. Nell kan voor zichzelf zorgen... Nell kan waarschijnlijk ook voor Mary zorgen.'
'Dat zullen we dan wel zien.' Lovell klikte de monitor aan. Het beeld gaf even statische sneeuw en werd toen helder. Mary en Nell stonden in de slaapkamer terwijl hun gedaanten in de spiegel werden gereflecteerd. Terwijl Lovell ging zitten om te kijken, zette Olsen de monitor uit, waarna het scherm grijs werd.
'Wat doe je nou in godsnaam?' vroeg Lovell scherp.
'Ik denk dat we Nell en Mary enige privacy moeten gunnen.'
'Wil je niet zien wat er gebeurt?'
'Nee,' zei ze kalm.
Lovell kon het allemaal niet geloven. Eerder had Paula Olsen uren voor die monitor gezeten om zelfs de meest triviale bewegingen van Nell te observeren, en nu, op een moment dat ze met een bijna volledig vreemde in contact trad, deinsde Paula terug.
'Hoe zit het dan met je kostbare onderzoek?'
Paula lachte wat. 'Onderzoek? Het gaat mij niet altijd om onderzoek,' zei ze. 'Dat is tenminste wat jíj me verteld hebt.'
Petersen, die nog steeds bij het raam stond, had tijdens deze woordenwisseling niets gezegd. Hij interesseerde zich meer voor zijn vrouw dan voor de wetenschappelijke ruzies van Olsen en Lovell.
'Goed,' zei hij uiteindelijk. 'Jullie kunnen ruzie maken zoveel je wilt, jongens, maar het ziet ernaar uit dat je op dit moment een groter probleem hebt.'
Lovell en Olsen keken hem beiden aan. 'Wat? Waar heb je het over?'
Petersen knikte in de richting van het raam. 'Het lijkt erop dat jullie de eerste toerist op bezoek krijgen.'
Lovell stoof naar het venster. Over het meer kwam met grote snelheid een laagvliegende helikopter op hen af. Het ene mo-

ment konden ze hem nog helemaal niet horen, en een seconde later leek het enorme gebrul van de turbinemotoren uit het niets op te klinken. De machine scheerde donker en dreigend over het terrein, waarbij de rotors een stofstorm deden opdwarrelen en de motoren de rust in het bos wreed verstoorden. Ze konden zien dat het logo van een televisiestation uit Seattle op de staart was aangebracht. Een cameraman hield een videocamera uit een van de portieren gericht en filmde de grond.

'Jezus! Dat ding zal haar doodsbang maken!'

Lovell rende de boot af en stak moeizaam het open terrein over, gehinderd door de neerwaartse wind van de rotorbladen van de helikopter.

Hij stormde de hut in, zich even inhoudend vanwege de aanwezigheid van Mary, en greep Nell vast om haar gerust te stellen. Haar magere lichaam rilde alsof ze het erg koud had. Hij kon merken dat ze op het punt stond in paniek te raken.

'Het is al goed, Nell. Het is goed.'

'*Nell tata, Je'y.*' Hij kon haar boven het geraas van de helikoptermotoren nauwelijks verstaan.

Olsen en Petersen kwamen de kamer in rennen. 'Mary,' zei Paula, 'alles goed?'

Mary Petersen lachte even verlegen tegen haar. 'Ik wil bij Nell blijven.'

'Mary?' vroeg Todd. 'Wat is er aan de hand?' Hij kon zien dat er een verandering bij zijn vrouw had plaatsgevonden, dat er weer een vonkje leven in haar ogen zat.

'Ik wilde Nell gaan bezoeken,' zei ze eenvoudig.

'We moeten gaan,' zei Lovell. 'Maak je geen zorgen Nell, het zal niet lang duren.'

Maar de gedachte aan vertrekken maakte haar nog paniekeriger. '*Nell tata, Je'y.*'

'Ik weet het, ik weet het,' zei Lovell, die zijn best deed geruststellend te klinken. 'Maar ik zal bij je blijven. Ik zal zorgen dat je veilig bent. *Jerry enke'tje.*'

Nell stak haar hand naar hem uit en hij nam die in de zijne. Zijn twee grote handen wiegden haar dunne vingers. Ze keek hem diep in zijn ogen en de bedoeling was onmiskenbaar: ze vertrouwde haar leven aan hem toe.

'*Nei tata me' Je'y*,' zei ze.
'Haal ons hier weg, Todd.'
Ze renden alle vier de hut uit, waarbij Nell even op de drempel weifelde toen het lawaai en de verwarring haar vol troffen, maar Lovell dwong haar mee en trok haar naar Paula's auto.
Todd Petersen startte zijn politieauto en reed voorop het terrein af. De helikopter verdween, maakte een bocht en vloog weer terug over het open terrein in een poging de auto's te volgen, maar ze waren al in het kreupelhout verdwenen. De overhangende takken van de dennebomen maakten het pad vanuit de lucht onzichtbaar.
Maar ook op de grond waren er problemen. Een enorme tv-truck kwam het pad af hobbelen, waardoor er geen ruimte meer was om te passeren. Petersen week niet uit en reed met de politieauto recht op het gevaarte af, alsof hij het niet zag. De truck begon langdurig en luid te claxonneren, loeide als een woedende stier en de chauffeur schreeuwde iets, maar hij gaf eerder toe dan Todd. Hij draaide het stuur met een ruk naar links en reed met de vrachtwagen het struikgewas in. Petersen boog eveneens af en reed met zijn wagen half de berm in, maar hij had nu de weg vrijgemaakt zodat Paula met haar MG net een gaatje vond om te passeren. Olsen drukte op het gaspedaal en raasde in een wolk van zand en kiezel langs de tv-truck.
Mary Petersen zag de MG wegschieten en begon te lachen. Haar man draaide zich om, keek zijn vrouw aan en begon zelf ook te lachen, uit pure opluchting, maar ook uit pure vreugde dat zijn vrouw aan hem teruggegeven was. Hij stond versteld van haar heldere ogen en haar levendige gezicht. Hij had die blik eerder gezien, toen ze voor het eerst samen waren, toen Mary de vrouw was geweest op wie hij trots was en met wie hij zo graag wilde trouwen. Het leek alsof haar lachende ogen straalden als de zon, een zon die weer opgegaan was, een teken dat de lange nachtmerrie voorbij was.

25

Nell's tweede tocht van het terrein af was veel minder leuk dan haar eerste. Ze was nerveus en in de war door de schokkende gebeurtenissen van die ochtend. Lovell kon voelen dat ze naast hem op de smalle autobank zat te rillen als een jong hondje. Hij legde zijn arm beschermend om haar schouders en wiegde haar. 'Ik ben hier,' fluisterde hij. 'Het is al goed. Ik ben hier.'

Maar Nell leek de beheersing over haar zo zwaar op de proef gestelde zenuwen niet terug te kunnen vinden en hoe verder ze van huis wegreed, des te opgewondener ze werd. Telkens als er een auto passeerde sprong ze op en naarmate het verkeer drukker werd, werd de snelweg naar Seattle een collage van angstwekkende beelden en geluiden.

De stroom verkeer die zich in het spitsuur over de lange oprijlanen van de Evergreen Poit Floating Bridge bewoog, maakte haar bang. De brug was het grootste door mensen gemaakte object dat ze ooit gezien had en vervulde haar met een bijna overstelpend paniekgevoel. Het stalen gevaarte met zijn bogen leek langs haar heen te flitsen en het wateroppervlak eromheen was enorm, groter dan het meer, een binnenzee.

Lovell trok aan haar hand. 'Nell, kijk.' Hij wees naar de horizon, waar het silhouet van Seattle achter de lange oprit van de brug verscheen. De hoge, driepotige toren van de Space Needle doemde door de smog van de stad heen op. Nell knipperde met haar ogen, zonder goed te weten wat ze zag. Ze keek Jerry met een angstige blik aan.

Hij had gehoopt dat haar natuurlijke nieuwsgierigheid haar zou kalmeren, maar hij had het verkeerd. De effecten van haar eenvoudige tochtje naar Richfield waren enorm geweest, in gunstige zin, maar de aanslag die de stad deed op haar zintuigen was meer dan haar gevoelige gestel kon verdragen. Deze nieuwe wereld was iets wat ze niet kende en ook niet wilde kennen.

Nell's toestand werd ernstiger toen ze het centrum van de stad binnenreden. Terwijl ze door de drukke straten reden, staarde

Nell met bange ogen naar het verkeer en de horden mensen die de trottoirs bevolkten. Nell voelde hoe een verstikkende claustrofobie zich om haar heen sloot, alsof de glanzende glazen ramen van de kantoorgebouwen haar omsingelden. Ook het lawaai greep haar aan; het voortdurende lawaai van automotoren, het oorlogszuchtige gedreun van een drilboor op een bouwplaats, het helse gegil van sirenes, het onophoudelijke geraas van de stad.
Nell kroop tegen Lovell aan. 'Goed, ik hou je vast...'
Hij keek even naar Olsen. 'Het gaat niet zo goed met haar.'
'Het is niet ver... Nog even volhouden, Nell. Het komt goed met je, dat beloof ik.'
Maar het ziekenhuis was even angstwekkend als de wereld achter de buitendeur. De felle lichten van de EHBO leken Nell's hersenen te schroeien, de gemaskerde mensen in hun steriele kleding – waren het mannen of vrouwen? – maakten haar van streek, de monotone mededelingen over de luidsprekers werden in haar oren een vervormde dreun.
Er kwam een verpleger voorbij die een brancard voor zich uit duwde. De comateuze man die onder de lakens lag had de vale bleekheid die op onheil duidde, alsof het infuus dat aan zijn arm zat het enige was wat er nog tussen hem en de dood stond. Nell kromp ineen toen ze het zag.
'Het is niets, Nell,' zei Paula. 'Wees maar niet bang.'
'Het is een eng gezicht als je niet weet wat het is,' zei Lovell en hield Nell dichter tegen zich aan.
Nell was niet meer gerust te stellen. Ze begon kreetjes te uiten, een klaaglijk gedrein waarvan Lovell wist dat die aan een paniekaanval voorafgingen.
'Het is al goed. Hier ben je veilig. Ik heb je toch vast.'
Paula leidde hen door een gang en gebruikte een keycard om een afgesloten deur te openen. De deur ging met een sissend geluid open. Nell kromp ineen.
'Dit gaat niet goed zo,' zei Lovell.
'We zijn er bijna. Nog even.'
'Ze krijgt een aanval.'
Nell begon steeds harder te jammeren, zwaaide met haar hoofd heen en weer en trok aan de arm waarmee Lovell haar stevig

vasthield. Ze sleepte met haar voeten als een weerbarstig kind om te proberen hun voortgang te af te remmen, alsof ze wist dat naarmate ze dieper in het gebouw zouden komen, het gevaar voor haar des te groter zou worden.
'Draag haar,' beval Olsen.
Lovell nam Nell met een zwaai in zijn armen. 'Hupsakee,' zei hij. Ze legde haar armen om zijn nek en hield hem als een doodsbang klein meisje stevig vast.
Ze waren nu in de psychiatrische vleugel, het domein van Al Paley. Zowel Nell als Lovell voelden hetzelfde: ze waren in het territorium van de vijand.
Ze passeerden de recreatieruimte en Nell staarde naar de patiënten die onderuit lagen voor de blèrende televisie, terwijl de helse muziek van een tekenfilm de ruimte vulde. Door het vervormde geluid heen hoorde Nell iemand... iemand die haar naam riep.
Ze tuurde over Lovell's schouder en zocht als een razende de droevige, doodse gezichten af om de bron van het geluid te vinden.
Ja, daar in een hoek van de kamer was haar tweelingzus, een blond meisje in haar verstelde kiel en op blote voeten. Ze zat in elkaar gedoken, bijna dubbelgevouwen alsof ze zich tegen een snijdende kou beschermde. Ze riep klagend Nell's naam.
In een ogenblik had Nell zich uit Lovell's armen bevrijd en rende ze de gang door, zich er niet van bewust dat ze op een hallucinatie af liep. Plotseling werd Nell getroffen door een bliksemstraal, haar lichaam knalde midden in de lucht ergens tegen aan, haar gezicht werd vol geraakt. Ze zakte in elkaar, een lange veeg bloed in de lucht achterlatend. Nell was op volle snelheid tegen een raam van gepantserd glas aan gelopen. Hoewel ze half verdoofd was door de klap, stond ze in een fractie van een seconde weer rechtop, terwijl ze als een wild dier krijste en woest om zich heen sloeg, tegen het glas aan klauwend.
'Nell! Nell! Alsjeblieft!' Lovell probeerde haar in een houdgreep te nemen, maar ze had zo'n angstaanval dat ze Jerry's stem niet meer hoorde en in haar paniek en angst niet meer wist wat ze deed. Ze sloeg met haar lichaam tegen het glas en probeerde erdoorheen te breken.
'Het is al goed, Nell,' zei Lovell. 'Ik heb je...' Paley kwam tevoor-

schijn uit zijn kantoor en taxeerde de situatie. Hij knipte met zijn vingers in de richting van twee stevig gebouwde verplegers. 'Shelby! Carlo!'
'Ik red het wel,' riep Lovell.
'Wil je dat ze zichzelf echt verwondt?'
De twee verplegers grepen Nell met hun vlezige handen beet en duwden haar armen opzij. Op het moment dat ze haar aanraakten hield ze op met vechten. Ze staarde Lovell even aan met een bebloed en met slijm besmeurd gezicht, waar de tranen van af liepen. Die blik, de boodschap in haar ogen, trof Lovell als de steek van een stiletto. Haar ogen zeiden: je hebt me verraden. Daarna werden haar ogen levenloos, alsof ze plotseling blind geworden was en werd haar lichaam slap. Ze liet zich in de armen van haar vangers vallen als een dier dat zich dood houdt.

Toen Nell in haar sombere ziekenhuiskamer ontwaakte, stond Jerry Lovell bij haar bed. Haar ogen waren open, maar hij kon merken dat ze niets zag, nergens naar keek. Jerry sprak heel zacht.
'Nell? Ik ben het, Jerry.'
Er kwam geen reactie. Ze draaide zelfs haar hoofd niet naar hem toe.
'Nell? *Nei tata, Nell. Nei tata me' Je'y.*'
Niets... Het leek alsof ze niet meer in haar eigen lichaam leefde, alsof de ziel verdwenen was. Lovell beet op zijn lip en vocht tegen zijn tranen, terwijl hij haar hand in de zijne nam en haar handen heen en weer wiegde op de manier die ze hem getoond had.
'Nell? *Dibbetje...*' Lovell voelde hoe een enorme wanhoop bezit van hem nam.
'Nell! Dit moet je niet doen! Ze zullen je wegbergen! Laat hen zien hoe je werkelijk bent. Alsjeblieft.' Hij wachtte even, alsof hij zijn woorden even wilde laten bezinken, maar ze reageerde niet. Hij zonk naast haar bed op zijn knieën en legde zijn vermoeide hoofd op de deken. 'O, Nell... Alsjeblieft... Wat moet ik verdomme toch doen?'
Maar Nell reageerde niet op zijn smeekbeden. Ze bleef in het niets staren. Haar geest bevond zich ergens ver weg.

Paley verzamelde later die dag zijn team deskundigen. Hij zat achter zijn imposante bureau en keek naar de grimmige gezichten van Malinowski en Goppel; Lovell zag er grauw en terneergeslagen uit. Toen Nell opgaf had hij ook opgegeven. Alleen Olsen vocht nog.
'Ze heeft wekenlang niet zo'n aanval gehad, professor,' zei ze. 'U heeft verdorie toch die opnamen gezien. U weet hoeveel voortgang we maken.'
'Ik ben hier niet blij mee, Paula.'
'Ze is niet in haar vertrouwde omgeving,' zei ze. 'Dit was te verwachten.'
'Je hebt bijna drie maanden gehad. Ik ben niet blij. Dit kind heeft hulp nodig.'
Lovell keek op met een dodelijk vermoeid gezicht en een blik vol zelfverwijt. 'Ik moet wel gek geweest zijn om haar hierheen te brengen.'
Paley trok slechts zijn wenkbrauwen op, maar zei verder niets.
'Ze heeft tijd nodig, professor,' zei Olsen. 'Dat is alles. Ze zal vanzelf kalmeren.'
'Tijd?' zei Paley. 'Goed. We hebben het weekend nog. Misschien zal ik me maandag blijer voelen.' Hij stond schouderophalend op. 'Maar misschien ook niet...' Hij begaf zich naar de deur. 'Ik stel voor even naar de patiënt te kijken.'

Paley, Goppel, Malinowski en Lovell zaten dicht op elkaar in de kleine observatiekamer. Hun gezichten leken in het zwakke licht grijs en vaag.
Paula was met Nell in de kamer achter het glas. Ze las langzaam voor uit een bijbel op haar schoot. Haar stem klonk iel en metalig door de luidspreker van de observatiekamer.
'Waarheen is uw geliefde gegaan, o schoonste der vrouwen? Waarheen heeft uw geliefde zich gewend? Want wij willen hem met u zoeken.' Paula wachtte even en keek Nell aan, in de hoop dat haar woorden tot haar doorgedrongen waren. 'Mijn geliefde is afgedaald naar zijn hof, naar de balsembedden om zich te vermeien in de hoven, om leliën te plukken...'
Lovell hield zijn blik steeds op Nell gericht, alsof hij haar met zijn geest tot een reactie kon dwingen.

'Dit is geen geringe vorm van autisme,' zei Goppel. 'Dat is zeker.'
Paley knikte instemmend. 'Moeilijk te zeggen wat het is.'
'Ik ben mijn geliefde en van mij is mijn geliefde,' ging Olsen verder, 'die te midden der leliën weidt... Schoon zijt gij, mijn liefste, als Tirsa, liefelijk als Jeruzalem.'
Lovell kon de pijn in Nell's ogen zien en hij stak zijn hand op, alsof hij haar door het glas heen kon aanraken, maar even later liet hij hem neervallen, omdat hij wist dat ze niet te bereiken was.

Lovell en Olsen leidden Nell door de lange gang van het ziekenhuis om haar naar haar kamer terug te brengen. Ze bleef maar zwijgend in het niets staren.
'Ik wil haar hier weghalen, Paula,' fluisterde Lovell. 'Deze plek is dodelijk voor haar.'
'Dat kunnen we niet doen, Jerry. Nog één dag, dat is alles.'
Lovell schudde zijn hoofd. 'Denk je dat de rechter zal gaan zeggen dat hij het beter weet dan Al Paley? Geef me je autosleutels...'
'Jerry, doe alsjeblieft niets waar je spijt van kan krijgen.'
'Nee, verre van dat. Geef me nu je sleutels.'
Na een moment van innerlijke strijd gaf ze de sleutels aan hem. 'Ik weet niet of dit wel...'
'Ik haal haar hier weg.' Plotseling greep hij Nell beet, pakte haar op en begon naar de deur te rennen. Op het moment dat hij haar aanraakte, begon Nell te gillen en te schoppen. Haar hoge uithalen weerklonken in de gangen.
'Jerry!'
Er kwamen drie verpleegsters de hoek om, die tussen hem en de deur in gingen staan. Lovell stortte zich met zijn volle gewicht op hen en stootte ze als kegels opzij.
Terwijl Nell schopte en gilde, holde Lovell de psychiatrische vleugel uit, op weg naar Paula's auto. Hij plantte Nell neer op de passagiersstoel, sprong zelf achter het stuur en probeerde de auto te starten. 'Kom, schiet op,' siste hij. De motor sloeg aan en hij schakelde de versnelling in. Hij drukte het gaspedaal diep in en scheurde de parkeerplaats af, terwijl de achterkant van de auto hevig heen en weer slingerde.

Hij reed een uur of twee doelloos rond, terwijl hij steeds maar tegen Nell bleef praten om te proberen haar weer in haar natuurlijke toestand te krijgen. Ze zat onbeweeglijk in haar stoel, zonder iets te voelen of te horen.
Tweemaal ging hij op weg naar huis en begon de lange klim de bergen in op weg naar Richfield, en tweemaal keerde hij weer terug. Het terrein was nu waarschijnlijk overstroomd met toeristen en er zouden tv-ploegen met camera's in de aanslag staan om hun deel van de wilde vrouw op te eisen.
Ze konden nergens heen, nergens was het veilig. Wanhopig draaide hij de parkeerplaats op van een motel langs Route 77. Nell liet zich door hem naar een kamer leiden, een slaapkamer die nauwelijks vrolijker was dan de kamer die ze in het ziekenhuis had gehad. Ze ging bij het raam zitten en keek naar het zwembad van het motel, de verkeersweg erachter en de rode bol van de ondergaande zon. Ze zei niets en keek niet naar hem.
Lovell belde Paula. 'Ze heeft geen woord gezegd,' zei hij. 'Niets. Het lijkt alsof ze gestorven is...'
'Waar ben je?'
'In een motel.' Hij pakte een luciferboekje van de kaptafel en las het adres voor. 'Zevenenzeventig Noord, afslag Huntersville. Kamer 209. Je kunt het zien vanaf de weg.'
'Blijf daar tot ik er ook ben.'
Lovell moest bijna glimlachen. 'Maak je geen zorgen, we gaan echt niet weg.'
Jerry hing op en keek naar Nell. 'Paula komt eraan,' zei hij, in de hoop dat zelfs dat kleine beetje nieuws tot haar door zou dringen.
'Nell... Ik heb het allemaal niet zo bedoeld. Ik ben geen engel,' zei hij. 'Gewoon een man... Sorry, hè.'
Hij wachtte op een reactie, maar die kwam niet. '*Je'y feliss inne boo' me' Nell*.' Hij haalde zijn schouders op. 'Maar ik denk dat dat nu allemaal voorbij is.'

Nell bleef naar het zwembad staren waarin een dik tapijt van dode bladeren dreef. Voor haar ogen veranderden de golvende bladeren en werden ze een mat op de bodem van haar bos. Nu kon Nell de grot zien waar ze het gebeente van haar tweelingzus ver-

borgen had. Maar nu was ze daar levend, in haar witte kiel, met een bloemslinger van madeliefjes om haar nek.
Ze stond doodstil en Nell en haar tweelingzus staarden elkaar strak aan. Het kleine meisje draaide zich om en liep weg, het bos in; ze begon te draven en daarna te rennen. Ze rende snel over het bospad zonder ooit te struikelen, terwijl het bos in een groene waas om haar heen veranderde.
Het kleine meisje rende het veld op in een stralend gouden licht. Ze vertraagde haar pas en liep langs de oever van het meer. Ze stopte aan de rand van het water, terwijl de golven haar blote voeten raakten. De ogen van het kind waren nu somber en ze stak haar handen in de lucht met de palmen naar buiten, als een teken van afscheid.
Ze stapte verder het water in, draaide zich om en liet haar handen vallen terwijl ze naar het midden van het meer liep. Het water kwam eerst tot aan haar knieën, dan tot aan haar borst en even later was het zo hoog dat de bloemenkrans om haar nek begon te drijven. Nog een stap en het water sloot zich met een lichte rimpeling boven haar hoofd; haar blonde haar golfde een moment in het water en verdween toen. Wat resteerde was de bloemenkrans die in een poel van weerspiegeld licht dreef.
Nell sprak in zichzelf haar eigen afscheidswoorden. '*Ik be' mij' gelief'e e' va' mij is mij' gelief'e. Sij weed middin lelien. Skoo' sijt kij mij' lie'ste, a's Tirsa, lieflik a's Jerus'em.*'
Ze keek niet naar Jerry toen ze zich van het raam af wendde. Ze ging eenvoudigweg op bed liggen, sloot haar ogen en viel in slaap.

Nell had een uur geslapen toen Paula eindelijk bij het hotel aankwam. Lovell wachtte haar met een schuldbewust en wanhopig gezicht bij de deur op.
Paula keek het sombere kamertje rond. 'Waarom hier, Jerry? Waarom ben je hierheen gegaan?'
'Ik wist niet waar ik heen moest.'
Ze keek naar Nell en toen weer naar Jerry. 'Weet je dat je gek bent?'
'Ja.'
'En wat gaat er nu gebeuren?'

Lovell zuchtte diep. 'Ik moet haar naar de rechtbank brengen, hè?'
'Ja.'
Lovell liet zijn schouders afhangen. 'Nou dat is... klote.' Paula kon zien dat hij wilde huilen vanwege de mislukking en uit frustratie over alles. 'Ik zou het kunnen verdragen als ze iets tegen me zou zeggen. Alles is beter dan de stilte...'
Olsen stond op en streelde Lovell's wang. Het was het liefdesgebaar van Nell en ze hield zijn gezicht vast en streelde hem. De tranen stonden in zijn ogen.
'*Nunie hui*', *missa dibbetje*.'
Ze trok zijn gezicht naar het hare toe en wreef haar wang langzaam en teder tegen de zijne, zoals Nell het deed. Paula nam hem in haar armen en wreef met haar neus tegen zijn wang, langzaam, zacht en intiem. Hij bracht op zijn beurt zijn vinger naar haar wang en streelde haar, Nell's speciale liefhebbende gebaar gebruikend. Ze keken in elkaars ogen, en ieder keek naar de gedachten van de ander. Ze leken nu geen woorden nodig te hebben om te communiceren.
Daarop kuste hij haar op de mond; met zijn zachte lippen betastte hij de hare. Een natuurlijke terughoudendheid deed haar even terugdeinzen, maar daarna voelde ze dat ze zich liet gaan en kuste ze terug; haar mond opende zich voor hem.
De kus deed de hartstocht ontwaken die diep in hen beiden verborgen lag en ze omhelsden elkaar vurig, ze kusten alsof de wereld niet meer bestond en er niemand op de wereld was buiten hen beiden. Het was alsof ze thuiskwamen.

26

Rechter Hazan verklaarde de zitting om precies negen uur die ochtend met een tik van zijn hamer voor geopend. Het was exact negentig dagen na de laatste zitting.
De rechtszaal zag er echter heel anders uit dan toen. De publieke tribune zat vol met toeschouwers en vertegenwoordigers van een tiental verschillende media. Er was een grote afvaardiging uit Richfield: Todd en Mary Petersen, Amy Blanchard en Frank van Frank's Bar; helemaal achterin, stuk voor stuk hopend dat de rechter hen niet zou zien, zaten de opgeschoten jongens: Billy Fisher, Shane, Jed en Stevie. Ze waren blij dat ze voor deze ene keer niet met een somber gezicht in het verdachtenbankje zaten.
'Wie vertegenwoordigt het ziekenhuis?' vroeg de rechter.
Er stond een man in een perfect zittend pak op. 'Edelachtbare, ik ben Richard Weiss.'
Rechter Hazan glimlachte. Hij kende naam en de reputatie van de advocaat. Weiss was een van de beste advocaten van de staat en door hem in te huren gaf het ziekenhuis te kennen de zaak hoog op te nemen. 'Ik ben ervan onder de indruk, meneer Weiss, dat een man van uw reputatie de moeite neemt helemaal naar onze bescheiden rechtbank te reizen.'
'Het is mij een eer, edelachtbare.'
Lovell boog zich voorover en fluisterde in Don Fontana's oor. 'O, verdomme. Ze geven elkaar complimentjes. Dat is niet zo mooi.'
'Nee, hoor,' fluisterde Fontana terug. 'Dat is goed voor ons. Ik denk dat het ziekenhuis niet weet dat Hazan een hekel heeft aan dure ingehuurde bollebozen.'
'Meneer Weiss, wilt u beginnen?'
'Jazeker, edelachtbare...' Weiss stond op en liep naar de andere kant van de rechtszaal. Hij bleef stilstaan voor de tafel waar Fontana, Lovell, Nell en Olsen zaten. Hij lachte hen even toe voordat hij zich tot de rechter wendde.
'Edelachtbare, Nell Kellty staat op de drempel van de meest op-

windende reis die iemand ooit kan maken. De reis van de veilige maar beperkte haven van de kindertijd naar de open horizon van de volwassenheid...' Hij wachtte even, terwijl zijn blik de rechtszaal overzag. 'Maar om die reis veilig en succesvol te kunnen maken, heeft Nell een gids nodig...'

Rechter Hazan luisterde weliswaar naar Weiss, maar zijn ogen waren op Nell gericht. Het was duidelijk dat ze hem fascineerde.

Richard Weiss wees naar professor Paley. 'Deze man, edelachtbare, professor Alexander Paley, heeft de expertise om Nell te helpen. Hij heeft de financiële steun van het Nationale Instituut voor de Volksgezondheid. Hij heeft de faciliteiten. Hij heeft de medewerkers. Wie zou Nell beter kunnen leiden op haar reis?'

Hij draaide zich met een zwaai om en keek naar Jerry, terwijl er een zweem van verachting in zijn blik lag.

'Dokter Lovell lijkt te denken dat hij het beter kan, maar hij is een huisarts die geen opleiding heeft op het gebied van de psychiatrie. Ooit was hij een kankerspecialist, maar zijn carrière kwam plotseling tot een einde in onopgehelderde omstandigheden...'

Weiss zag niet dat Fontana moest glimlachen en probeerde te verbergen dat Weiss regelrecht in een val gelopen was.

'Daarbij komt, edelachtbare, dat dokter Lovell een man is die eigendommen van het ziekenhuis heeft beschadigd, nog daargelaten dat hij een personeelslid heeft aangevallen. Kan een man als hij op dit cruciale tijdstip voor Nell zorgen? Ik denk het niet.'

Fontana stond op. 'Ik teken bezwaar aan, edelachtbare. Dokter Lovell wil niet als Nell's bewaarder optreden. Noch nu, noch op enigerlei tijdstip in de toekomst.'

Overal in de rechtszaal klonk verbaasd gesis. Paley keek naar Weiss die naar Lovell stond te kijken.

Zelfs rechter Hazan leek verbaasd. 'Waarom zijn we dan allemaal hier?' vroeg hij.

'Om te beslissen wat het beste is voor Nell, edelachtbare,' zei Fontana eenvoudig.

Hazan boog zich voorover en tuurde over zijn bril heen. 'Moet ik hieruit begrijpen dat dokter Lovell niet langer zijn diensten aanbiedt in deze kwestie?'

'Dat is juist, edelachtbare.'

Weiss had zich hersteld van de verrassing. 'In dat geval, edel-

achtbare, verzoek ik dat de voogdij onmiddellijk wordt toegekend. Er zijn geen andere rekwiranten en alle partijen zijn het erover eens dat Nell hulp nodig heeft. En daarom...'
Lovell stond op. 'Dat is niet waar, edelachtbare. Ze heeft geen hulp nodig. Ze heeft mij niet nodig. Ze heeft niemand van ons nodig. U hoeft het alleen maar aan haar te vragen.'
'Haar te vragen?' zei Weiss. 'Edelachtbare...'
Rechter stak zijn hand op in een gebaar om stilte. 'Wacht even. Meneer Fontana, waar wilt u naar toe?'
'Nergens. Behalve dat we voorstellen dat Nell zelf zegt wat ze wil, dat is alles.'
Rechter Hazan leek verbaasd en tegelijk geïntrigeerd. Hij keek Nell even aan. Ze zat er op haar gemak en kalm bij, alsof ze de zitting zonder problemen kon volgen.
'Zelf zeggen wat ze wil?' zei Hazan. 'Ik heb toch begrepen dat er een communicatieprobleem is, nietwaar?'
'Ik kan als tolk optreden, edelachtbare.'
'Dokter Lovell is belanghebbende,' protesteerde Weiss. 'Ik denk niet dat hij...'
Er verscheen een flikkering in de ogen van de rechter. 'O, dat weet ik niet, meneer Weiss. Hij zei net dat hij geen belang meer heeft in deze zaak. Als de jongedame zelf kan zeggen wat ze wil, des te beter. Laten we zien hoe het gaat. Meneer Fontana, breng uw cliënt naar voren.'
'Heel goed, edelachtbare.' Fontana nam Nell bij de hand en leidde haar door de rechtszaal naar voren. Hij liet haar in het getuigenbankje plaatsnemen. Jerry ging naast haar zitten, maar wel enigszins achterover, zodat Nell goed zichtbaar was.
Iedereen in de rechtszaal had erop gewacht haar goed te kunnen zien en er viel een stilte terwijl iedereen naar haar tuurde. Nell keek hen aan, maar nu leek ze klein, fragiel en nerveus. Ze keek even naar Lovell, die haar snel geruststellend toelachte.
'Nell,' zei Don Fontana, 'sinds je moeder gestorven is ben je alleen...'
Lovell vertaalde zo onopvallend mogelijk met zachte, neutrale stem. '*Fo' awtei' ma wande' mette hee'...*'
Nell schudde langzaam haar hoofd van de ene naar de andere kant. '*Nei. Je'y dan kom. En Pau'a.*'

'Jerry en Paula kunnen niet voor altijd bij je blijven,' zei Fontana.
'Dannie ress awtei',' vertaalde Lovell.
Nell knikte weer, in het geheel niet verontrust hierdoor. '*Nie'so ress awtei,*' zei ze. '*Alo'so dan kom alein inne tei' erna feliss.*'
'Niemand blijft voor altijd,' zei Lovell. 'Iedereen eindigt alleen in de grote nacht.'
Fontana knikte. 'En ben je niet bang alleen in het bos te wonen?'
'*Nei tata inne kein?*'
Nell dacht even na voor ze antwoordde. '*Alo'so tata,*' zei ze ernstig. '*Alo'lek. Liefi'e hee' sussene, sussene us hui', us erna hui'.*'
'Iedereen is bang,' zei Lovell. 'Overal. De lieve Heer stilt onze tranen, onze vele tranen.'
Het was volkomen stil in de zaal. Nell's aanwezigheid en haar woorden hypnotiseerden het publiek.
'Nell, wil je uit je huis in het bos weg om door deze meneer verzorgd te worden?' Fontana wees naar professor Paley. Weiss sprong op.
'Gaat u zitten, meneer Weiss,' zei Hazan. 'U zult nog de kans krijgen het haar te vertellen. Dokter Lovell, als u de vraag wilt vertalen...'
'*Nell wille wek van kein en ress me'...*' Hij wees naar Paley. Nell keek hem aandachtig aan, terwijl Paley nerveus op zijn stoel heen en weer schoof nu ze hem zo lang aanstaarde met haar zenuwachtig makende blik.
Toen haar antwoord kwam, klonk dit zacht maar ondubbelzinnig. '*Nei,*' zei ze.
'Geen verdere vragen, edelachtbare.' Fontana ging zitten en pakte zijn papieren bij elkaar.
Rechter Hazan knikte. 'Meneer Weiss, uw getuige.'
De advocaat stond op en probeerde met gefronste wenkbrauwen een aanval voor te bereiden; hij had geen tijd gehad deze te overdenken. Met een breed armgebaar omvatte hij de gehele rechtszaal, van de rechtbank tot de achterzijde van de zaal.
'Er zijn veel mensen in de wereld, Nell. Al deze mensen zouden je vrienden kunnen zijn. Deze mensen en nog veel meer.'
'*Alo'so dan kom,*' zei Lovell. Hij vlocht zijn vingers in elkaar. '*Reken Nell wille?*'
Nell was verbaasd, maar ze knikte langzaam. '*Reken.*'

'Je zou onze prachtige wereld met ons kunnen delen, Nell,' zei Weiss. 'Er is zoveel...'
Lovell vertaalde snel. '*Nell wande' me' alo'so in erna feliss...*'
'Maar je moet veel dingen leren.'
'*Ma'erna lee fo we'en.*'
Nell knikte, de waarheid van Weiss' woorden erkennend.
'Wil je dat niet, Nell?'
Nell keek naar Weiss, en liet haar blik toen over de vele gezichten in de zaal gaan, waarbij ze iedereen aankeek. Ze leek met zichzelf te worstelen, te pogen te beslissen of ze zoals hen wilde zijn of niet. Terwijl ze dit overdacht en de stilte langer duurde, begon de spanning in de zaal te groeien. Iedereen in de rechtszaal voelde de voortdurend zoekende ogen van Nell op zich gericht, alsof ze op een zwijgende wijze ondervraagd werden.
Toen Nell eindelijk het woord nam, sprak ze zachtjes, alsof ze bang was aanstoot te geven.
'*Jo' ha' erna lee...*' zei ze aarzelend.
'Jullie hebben grote dingen,' vertaalde Lovell.
'*Jo we'en erna lee...*'
'Jullie weten grote dingen...'
Nell boog zich voorover en pakte het hek vast. '*Ma' jo' nei sien inne alo'siens...*'
'Maar jullie kijken niet in elkaars ogen.'
'*En jo' hokene sussene susse.*' Haar stem werd luider alsof de hartstocht in haar opkwam.
'En jullie hongeren naar rust.'
Nell leek tot rust te komen, opgelucht dat ze alles had gezegd wat ze wist en de wereld buiten het veld had geobserveerd. '*Ah dan pass'a missa leef...*'
'Ik heb een klein leven geleid...'
'*Ah we'en missa lee.*'
'En ik weet kleine dingen.'
Nell keek de rechter aan en vervolgens het publiek. Ze smeekte hen met haar ogen te geloven wat ze zei. '*Ma' sussene kein a'fo me'enke'tje...*'
'Maar het stille bos is vol met engelen...'
'*Inne tei'a sei dan kom Tirsa...*'
'Overdag komt er schoonheid...'

'Inne tei'a feliss, dan kom feliss...'
''s Nachts komt er geluk.'
Nell zweeg even en keek de mensen aan. Niemand bewoog, niemand maakte geluid.
'*Nei tata fo'* Nell,' zei ze rustig.
'Wees niet bang voor Nell,' zei Lovell.
'*Nei hui' fo'* Nell.'
'Huil niet om Nell.'
'*Ah hai' nei erna kiena'n jo.*'
'Ik heb geen grotere zorgen dan jullie.'
Ze raakte haar voorhoofd met de vingertoppen van haar ene hand aan en ging met haar vingers langs haar wang, en haar hand bleef daar. Haar blik verplaatste zich van het ene naar het andere gezicht, waarmee ze iedereen daar haar liefde aanbood.
Lovell en Olsen hadden beiden tranen in hun ogen. Zij alleen realiseerden zich wat er gebeurd was; alles was omgedraaid. De toeschouwers, die bewoners van de moderne wereld, waren hulpeloos. Zij hadden de behoefte en Nell had de gave.

De menigte voor het gerechtsgebouw was groter dan de meute binnen en zwol aan met nieuwsgierigen, met uitrusting beladen filmploegen van de televisie en toevallige voorbijgangers die op de opwinding afkwamen. De zitting was afgelopen en de toeschouwers die uit het gerechtsgebouw stroomden, verstopten het trottoir nog meer.
Toen Nell uit het rode bakstenen gebouw kwam, hield ze haar ogen neergeslagen en liet zich door Olsen en Lovell, die ieder aan een kant van haar liepen, door de meute leiden, maar even kwam ze vast te zitten in de menigte op de trap. De lampen van de televisie sprongen aan en er werd geflitst. Even werd Nell bevangen door de angst en drukte ze zich tegen Lovell's borst aan.
Aan de rand van de menigte riepen en wezen een paar kinderen.
'Daar is ze! Daar is de wilde vrouw!' Iemand begon als een wolf te huilen en enkele omstanders lachten en joelden.
Nell keek op. Bleek, fragiel en met een diepe waardigheid keek ze de spotters in de ogen en in een ogenblik veranderde het gejoel en gelach in een gênante, ongemakkelijke stilte.
Lovell en Olsen gingen voor, terwijl de menigte voor hen week.

Ze keken aandachtig naar haar toen ze passeerde, alsof alleen al haar aanwezigheid hen ontzag inboezemde.
Rechter Hazan en Alexander Paley keken van bovenaan de trap van het gerechtsgebouw toe hoe Nell, Olsen en Lovell in Lovell's jeep stapten.
'Het spijt me, professor,' zei de rechter. 'Ik kon het echt niet doen. Ik moest haar naar de plek laten gaan waar ze gelukkig zou zijn.'
'Denkt u dat ik haar voor mezelf wilde?' zei Paley verbitterd. Hij hield zijn blik gericht op de mensen die rond de jeep verzameld stonden. Hij schudde zijn hoofd. 'Ze willen meer. Veel meer.'

Epiloog

Vijf jaar later

Het kleine meisje sliep nog steeds, maar ze lag niet in haar bed. Ze lag opgekruld op de achterbank van de auto, terwijl haar hoofd op haar vaders schoot rustte.

'Slaapt Ruthie nog steeds?' Paula Olsen hield haar blik net lang genoeg van de weg af om snel even over haar schouder te kunnen kijken. Lovell keek met liefde in zijn ogen naar zijn slapende dochter. 'Ja.'

'We kunnen er elk moment zijn.'

De weg was nu beter; hij was weliswaar nog steeds onverhard, maar het verkeer had hem geëffend. Ze passeerden de laatste bocht en daar zagen ze het: het meer, het veld, de blokhut. Er stonden veel auto's geparkeerd, op de plek waar eens het kampeerbusje had gestaan.

Er brandde een kampvuur in het midden van het veld en in de kring van licht die het verspreidde kon Paula een menigte van minstens vijftig mensen zien zitten. Sommigen hadden dekens over hun schouders gegooid tegen de kille avondlucht. Het licht van het vuur reikte tot de bomen aan de rand van het veld en ze konden zien dat daar tenten stonden. In sommige ervan brandde het licht van zaklantaarns.

Paula parkeerde de auto en zij en haar echtgenoot stapten uit. Lovell hield het slapende meisje in zijn armen. Ze keken uit over het veld.

'Het wordt elk jaar groter.'

Olsen schudde zachtjes aan haar dochter. 'Wakker worden, schatje. We zijn nu bij Nell.'

Ruthie knipperde licht met haar ogen en bewoog zich even, maar ze viel meteen weer in een diepe slaap.

'Ze is helemaal buiten bewustzijn.'

'Ze is vannacht de halve nacht wakker geweest.'

'Kom op...' Paula ging voorop naar het veld en liep op de menigte en het vuur af. Sommige mensen zaten zachtjes te praten en te lachen in het donker; sommigen hadden hun ogen gesloten: anderen zwaaiden zachtjes heen en weer en neurieden een soort deuntje. Het leek een beetje op een slaapliedje; er was geen begin en geen einde, het ging steeds maar door, het geluid van de rust en de stilte.

Een vertrouwd gezicht keek hen aan. Het was Mary Petersen. Ze lachte en liep op hen af. Alle tekenen van haar verlammende depressie waren sinds lang verdwenen.

'Hallo,' zei ze. 'Welkom terug.'

'Een hele menigte.'

'Ze blijven maar komen,' zei Mary. 'Weet Nell al dat jullie hier zijn?'

'Nog niet.'

Mary keek naar Ruthie. 'Nou, nou, het wordt al een grote meid, hè?'

'Ze heeft er zo naar uitgezien om Nell te zien,' zei Paula. 'En nu wil ze niet wakker worden.'

'Waar is Nell?' vroeg Jerry.

Mary wees. 'Daar.'

Nell zat in kleermakerszit op de grond in het midden van de menigte, terwijl haar bleke gezicht door het vuur verwarmd werd. Ze had de oude afwezige blik in haar ogen.

Lovell liep op haar af met zijn dochter in zijn armen. Olsen liet hem gaan, omdat ze hem graag enkele momenten alleen met Nell wilde gunnen voordat zij zich bij hen voegde.

'Jerry is een speciale vriend voor Nell,' zei ze. 'Hij betekent heel veel voor haar.'

'Jij ook, Paula,' zei Mary.

Olsen zag door de flakkerende walm van het vuur heen hoe Nell Jerry opmerkte. Ze begon te lachen en sprong op om hem te omhelzen.

'Ja, zeker,' zei Olsen. 'Ik was de uitblinker die werkelijk heel belangrijk zou zijn in haar leven, weet je nog?'

'Maar dat was ook zo,' zei Mary serieus. 'Je bent ook heel belangrijk in haar leven geweest. Wist je dat niet?'

Olsen schudde haar hoofd. Nell nam Ruthie in haar armen. Het kleine meisje bewoog zich en opende haar ogen toen Nell haar

toelachte. Daarop wreef ze haar gezicht tegen de zachte wang van Ruthie. Het kind reageerde met slaperig plezier.
‘Wat weet ik?’
‘Jij was de eerste.’
‘De eerste?’
‘Jij was de eerste die haar nodig had,’ zei Mary.
Nell hief haar hoofd op en draaide zich om, op zoek naar Paula. Haar ogen zochten het duister af. Paula keek naar haar en trof haar blik. Ze keken beiden door het flakkerende vuur heen. Nell schonk haar een lieve lach van herkenning en knikte, waarop de lach weer verdween.
Ze leek niet blij of bedroefd, leek alles te accepteren en nergens bang voor te zijn. Ze tuurde met haar heldere ogen in de verte, en zag alle engelen in het bos.

Lees ook van A.W. Bruna Uitgevers B.V.

Virginia Andrews

M'n lieve Audrina

M'n lieve Audrina is Audrina Adare, mooi, verstandig en gevoelig, en zeer verliefd op Arden. Deze jongeman is volgens haar vader Damien beneden haar stand en hij werkt de romance dan ook zoveel mogelijk tegen.
Ook nadat Audrina met haar geliefde Arden is getrouwd, wordt ze achtervolgd door haar verleden en herinneringen, en door een vader die vastbesloten is haar in zijn macht te houden. Want negen jaar voor Audrina werd geboren, is er een andere Audrina geweest, een kind met helderziende gaven, dat op negenjarige leeftijd overleed.
Damien Adare is er zeker van dat zijn tweede Audrina over dezelfde krachten beschikt en dat zij hem kan en zal helpen om het verloren gegane familiefortuin terug te winnen.

ISBN 90 449 2543 1